CONGRÉGATION
POUR LES INSTITUTS DE VIE CONSACRÉE
ET LES SOCIÉTÉS DE VIE APOSTOLIQUE

LA VIE FRATERNELLE EN COMMUNAUTÉ

«Congregavit nos in unum Christi amor»

ÉDITIONS PAULINES

Ce texte est tiré de l'édition parue chez
Libreria Editrice Vaticana, Vatican City.

ISBN 2-89420-232-6

Dépôt légal — 2e trimestre 1994
Bibliothèque nationale du Québec
Bibliothèque nationale du Canada

3965, boul. Henri-Bourassa Est
Montréal, QC, H1H 1L1

SIGLES

OCUMENTS DU CONCILE VATICAN II

V — Constitution dogmatique *Dei Verbum,* 1965.
S — Constitution pastorale *Gaudium et Spes,* 1965.
G — Constitution dogmatique *Lumen Gentium,* 1964.
C — Décret *Perfectae Caritatis,* 1965.
O — Décret *Presbyterorum Ordinis,* 1965.
C — Constitution *Sacrosanctum Concilium,* 1963.

OCUMENTS DES PAPES

hL — Exhortation Apostolique *Christifideles Laici,* Jean-Paul II, 1989.
N — Exhortation Apostolique *Evangelii Nuntiandi,* Paul VI, 1975.
T — Exhortation Apostolique *Evangelica Testificatio,* Paul VI, 1971.
ID — Lettre Apostolique *Mulieris Dignitatem,* Jean-Paul II, 1988.
IM — Encyclique *Mater et Magistra,* Jean XXIII, 1961.

OCUMENTS DU SAINT-SIÈGE

n. — canon du *Code de droit canonique,* 1983.
C — *Dimension Contemplative de la vie religieuse,* Congrégation pour les Religieux et Instituts séculiers (CRIS) 1980.
E — *Éléments essentiels de la doctrine de l'Église sur la vie consacrée* (CRIS), 1980.
IR — Document *Mutuae Relationes,* Congrégation pour les Evêques et CRIS, 1978.
I — Document *Potissimum Institutioni* (CIVCSVA), 1990: Directives sur la formation dans les Instituts religieux.
PH — *Religieux et Promotion humaine* (CRIS), 1980.

UTRES SIGLES

IVCSVA — Congrégation pour les Instituts de Vie Consacrée et les Sociétés de Vie Apostolique.
R — L'Osservatore Romano.
D — *Saint-Domingue,* Conclusions de la IVe Assemblée générale de l'Episcopat latino-américain, 1992.

INTRODUCTION

« Congregavit nos in unum Christi amor »

. L'amour du Christ a rassemblé dans l'unité un grand nombre de lisciples pour que comme Lui et grâce à Lui, dans l'Esprit, ils puissent, à ravers les siècles, répondre à l'amour du Père en l'aimant « de tout leur œur, de toute leur âme, de toutes leurs forces » (*Dt* 6, 5) et en aimant le rochain comme ils s'aiment eux-mêmes (cf. *Mt* 22, 39).

Parmi ces disciples, des femmes et des hommes « de toutes nations, ribus, peuples et langues » (*Ap* 7, 9), rassemblés dans les communautés eligieuses, ont été et sont toujours une expression particulièrement loquente de cet amour sublime et sans limite.

Les communautés religieuses sont nées, « non d'une volonté de la hair ou du sang », non de sympathies personnelles ou de motifs humains, nais « de Dieu » (*Jn* 1, 13), d'une vocation divine et d'un attrait divin. Eles sont un signe vivant du primat de l'amour de Dieu qui accomplit ses nerveilles, et de l'amour envers Dieu et envers les frères, tel qu'il a été maifesté et vécu par Jésus-Christ.

Etant donné l'importance des communautés religieuses pour la vie et a sainteté de l'Eglise, il y a lieu de réfléchir sur leur vie d'aujourd'hui, qu'il s'agisse des communautés monastiques et contemplatives ou de celles qui sont dédiées à l'activité apostolique, suivant le caractère spécifique de hacune.

Ce qui va être dit des communautés des instituts religieux s'applique ussi à celles des sociétés de vie apostolique, compte tenu de leur caractère t de leur législation propre.

a) Le thème de ce document est lié au fait que la physionomie résentée aujourd'hui par la « vie fraternelle en communauté » s'est beauoup transformée par rapport au passé en de nombreux pays. Ces transormations, avec les espérances et les désillusions qui les ont ccompagnées et les accompagnent encore, demandent qu'on y réfléchisse la lumière du Concile Vatican II. Elles ont eu des effets positifs et d'autres effets plus discutables. Elles ont mis en lumière beaucoup de valeurs évangéliques et donné une nouvelle vitalité à la communauté religieus mais elles ont aussi suscité des interrogations, lorsqu'elles ont obscurci d éléments typiques de la vie fraternelle vécue en commun. En certai lieux, il semble que la communauté ait tellement perdu de son importan aux yeux des religieux et des religieuses qu'elle n'apparaisse plus comn un idéal à poursuivre.

Avec la sérénité et la diligence de qui cherche la volonté du Seigneu beaucoup de communautés ont voulu évaluer cette transformation afin mieux répondre à leur vocation dans le Peuple de Dieu.

b) Nombreux sont les facteurs qui ont déterminé les changemen dont nous sommes témoins:

— Le « retour constant aux sources de la vie chrétienne et à la pr mière inspiration des instituts ».[1] Le contact plus profond et plus fort av l'Evangile et avec le premier jaillissement du charisme de fondation, a v goureusement stimulé la recherche du véritable esprit qui anime la frate nité, et des structures et médiations qui doivent l'exprimer adéquatemen Là où le contact avec ces sources et avec l'inspiration d'origine a été pa tiel ou faible, la vie fraternelle en communauté a couru des risques et même connu un certain affaissement.

— Cependant ce processus s'est produit à l'intérieur d'autr évolutions plus générales qui en sont comme le cadre existentiel, et do les répercussions ne pouvaient que marquer la vie religieuse.[2]

La vie religieuse est partie vitale de l'Eglise et elle est vit dans le mo de. Les valeurs et les contre-valeurs qui fermentent à une époque ou da un milieu culturel, et les structures sociales qui les révèlent, frappent a portes de tous, y compris de l'Eglise et de ses communautés religieuse Ces dernières, ou bien constituent un levain évangélique de la société, u annonce de la Bonne Nouvelle au milieu du monde, une proclamation la Jérusalem céleste dans le temps, ou bien elles subissent un déclin pl ou moins long, tout simplement parce qu'elles se sont alignées sur monde. La réflexion et les nouvelles propositions au sujet de la « vie fr ternelle en commun » devront tenir compte de cette réalité.

— Le développement de l'Eglise, lui aussi, a influé fortement sur l communautés religieuses. Le Concile Vatican II, comme événement

[1] *PC* 2.
[2] Cf. *PC* 2-4.

grâce et comme la plus haute expression de la conduite pastorale de l'Eglise en ce siècle, a eu une influence décisive sur la vie religieuse: non seulement en vertu du Décret *Perfectae Caritatis* qui lui est consacré, mais aussi grâce à l'ecclésiologie conciliaire présente en chacun de ses documents.

Pour toutes ces raisons le présent document, avant d'entrer directement en matière, commence par un rapide regard sur les mutations survenues dans les domaines qui ont pu influencer de plus près la qualité de la vie fraternelle et ses modalités dans les différentes communautés religieuses.

Évolution théologique

2. Le Concile Vatican II a fourni une contribution de première importance à la remise en valeur de la « vie fraternelle menée en commun » et à la vision renouvelée de la communauté religieuse.

L'évolution de l'ecclésiologie, plus que tout autre facteur, a marqué l'évolution dans la façon de comprendre la communauté religieuse. Vatican II a affirmé que la vie religieuse appartient « inséparablement » (*inconcusse*) à la vie et à la sainteté de l'Eglise, et l'a placée au cœur de son mystère de communion et de sainteté.[3]

La communauté religieuse participe à la vision renouvelée et approfondie de l'Eglise elle-même. D'où quelques conséquences:

a) *De l'Eglise-Mystère à la dimension mystérique de la communauté religieuse.*

La communauté religieuse n'est pas un simple rassemblement de chrétiens en recherche de leur perfection personnelle. Elle est, beaucoup plus profondément, participation et témoignage qualifié de l'Eglise-Mystère, en tant que vivante expression et réalisation privilégiée de sa « communion », de la grande « koinonia » trinitaire à laquelle le Père a voulu faire participer les hommes en son Fils et dans l'Esprit Saint.

b) *De l'Eglise-Communion à la dimension de communion fraternelle de la communauté religieuse.*

La communauté religieuse, dans sa structure, ses motivations, ses valeurs caractéristiques, rend publiquement visible et continuellement per-

[3] Cf. *LG* 44 d.

ceptible le don de fraternité fait par le Christ à toute l'Eglise. Elle a donc le devoir indispensable et la mission d'être et d'apparaître comme une cellule d'intense communion fraternelle, signe et stimulant pour tous les baptisés.[4]

c) *De l'Eglise animée par les charismes à la dimension charismatique de la communauté religieuse.*

La communauté religieuse est cellule de communion fraternelle, appelée à vivre dans la lancée du charisme de fondation; elle fait partie de la communion organique de toute l'Eglise, enrichie sans cesse par l'Esprit d'une variété de ministères et de charismes.

Pour être admis à faire partie d'une telle communauté, la grâce spéciale d'une vocation est nécessaire. Concrètement, les membres d'une communauté religieuse se trouvent réunis par un *commun appel de Dieu* dans la ligne du charisme; ils vivent une consécration ecclésiale commune originale et une réponse commune, participant à « l'expérience de l'Esprit » vécue et transmise par le fondateur, ainsi qu'à sa mission dans l'Eglise.[5]

La communauté religieuse veut aussi recevoir avec reconnaissance les charismes « plus simples et plus répandus »,[6] que Dieu distribue à ses membres pour le bien de tout le Corps. Elle existe pour l'Eglise, pour la manifester et l'enrichir,[7] pour la rendre plus apte à remplir sa mission.

d) *De l'Eglise-Sacrement d'unité à la dimension apostolique de la communauté religieuse.*

Le sens de l'apostolat est de ramener l'humanité à l'union avec Dieu et à son unité, grâce à la charité divine. La vie fraternelle en commun, expression de l'union opérée par l'amour de Dieu, outre qu'elle constitue un témoignage évangélique essentiel, revêt une grande importance pour l'activité apostolique et pour sa finalité ultime. La communauté religieuse est signe et instrument de la communion fraternelle, qui est elle-même à l'origine et au terme de l'apostolat.

Le Magistère, à partir du Concile, a approfondi et enrichi de nouveaux apports la vision renouvelée de la communauté religieuse.[8]

[4] Cf. *PC* 15 a; *LG* 44c.
[5] Cf. *MR*, 11.
[6] *LG* 12.
[7] Cf. *MR* 14.
[8] Cf. *ET* 30-39; *MR* 2, 3, 10, 14; *EE* 18-22; *PI* 25-28; cf. aussi can. 602.

3. *Le Code de Droit Canonique* (1983) recueille et précise les dispositions conciliaires relatives à la vie communautaire.

Quand on parle de « vie commune », il faut distinguer clairement deux aspects. Alors que le code de 1917 [9] donnait l'impression de s'être limité à des éléments extérieurs et à l'uniformité de style de vie, Vatican II [10] et le nouveau code [11] insistent explicitement sur la dimension spirituelle et sur le lien de fraternité qui doit unir tous les membres dans la charité. Le nouveau code a fait la synthèse de ces deux aspects, en parlant de « mener la vie fraternelle en commun ».[12]

On peut donc distinguer dans la vie communautaire deux éléments d'union et d'unité entre les membres:

— l'un plus spirituel: c'est la « fraternité », ou « communion fraternelle », qui part de cœurs animés par la charité. Il souligne la « communion de vie » et le rapport interpersonnel.[13]

— l'autre plus visible: c'est la « vie en commun » où « vie de communauté », qui consiste « à habiter dans la propre maison religieuse légitimement constituée » et « à mener la vie commune », moyennant la fidélité aux règles elles-mêmes, la participation aux actes communs, la collaboration aux services communs.[14]

Tout cela est vécu « selon le mode de vie propre »,[15] dans les diverses communautés, selon le charisme et le droit de l'institut.[16] De là l'importance du droit propre, qui doit appliquer à la vie communautaire le patrimoine de chaque institut et les moyens de le réaliser.[17]

Il est clair que la « vie fraternelle » ne sera pas automatiquement assurée par l'observance des normes qui règlent la vie commune; mais il est évident que la vie en commun a pour but de favoriser intensément la vie fraternelle.

[9] Can. 594 § 1
[10] Cf. *PC* 15.
[11] Can. 602; 619.
[12] Can. 607 § 2.
[13] Can. 602.
[14] Cf. can. 608, 665.
[15] Cf. can. 731 § 1.
[16] Cf. can. 607 § 2; et aussi can. 602.
[17] Cf. can. 587.

4. La société est sans cesse en évolution: les religieux et les religieuses, qui ne sont pas du monde mais vivent dans le monde, en éprouvent l'influence. Nous rappellerons seulement quelques courants qui ont marqué plus directement la vie religieuse en général et la communauté religieuse en particulier.

a) *Les mouvements d'émancipation politique et sociale* dans le Tiers monde et le développement du processus d'industrialisation ont favorisé dans les dernières décennies de grands changements sociaux, et suscité une attention spéciale au « développement des peuples » et aux situations de pauvreté et de misère. Les Eglises locales ont vivement réagi par rapports à ces mouvements.

En Amérique Latine surtout, à la faveur des assemblées générales de l'Episcopat latino-américain de *Medellin, Puebla* et *Saint-Domingue,* « l'option évangélique et préférentielle pour les pauvres » [18] a été mise au premier plan, et l'accent placé en conséquence sur l'engagement social.

Les communautés religieuses en ont reçu fortement l'impact et beaucoup ont été amenées à repenser les modalités de leur présence dans la société en vue d'un service plus direct des pauvres, y compris au moyen de leur insertion parmi eux.

L'accroissement impressionnant de la misère à la périphérie des grandes villes, et l'appauvrissement des campagnes, ont accéléré le processus de déplacement de nombreuses communautés religieuses vers ces milieux populaires.

Partout s'impose le défi de l'inculturation. Les cultures, les traditions, la mentalité d'un pays influent sur la manière de mener la vie fraternelle dans les communautés religieuses.

En outre, les récents et vastes mouvements de migration créent le problème de la rencontre des différentes cultures et celui des réactions racistes. Tout cela se répercute dans les communautés religieuses pluriculturelles et multiraciales qui sont toujours plus nombreuses.

b) *La revendication de la liberté personnelle et des droits de l'homme* a été à l'origine d'un vaste processus de démocratisation qui a favorisé le développement économique et la croissance de la société civile.

[18] Cf. *SD* 178, 180.

Dans la période qui a suivi immédiatement le Concile, ce processus s'est accéléré spécialement en Occident. Il s'est caractérisé par une tendance au « parlementarisme » et par des attitudes de négation de l'autorité.

La contestation de l'autorité n'a pas épargné l'Eglise et la vie religieuse, avec des conséquences évidentes sur la vie communautaire. L'accent mis de façon unilatérale et excessive sur la liberté a contribué à répandre en Occident la culture de l'individualisme, affaiblissant l'idéal de la vie commune et de l'engagement pour les projets communautaires.

Il faut signaler d'ailleurs d'autres réactions tout aussi unilatérales, comme l'évasion dans des formes d'autorité inspirant la sécurité, basées sur la confiance aveugle en un guide rassurant.

c) *La promotion de la femme,* un des signes des temps selon Jean XXIII, n'a pas manqué de retentir dans la vie des communautés chrétiennes de divers pays.[19] Même si, dans certaines régions, l'influence des courants extrémistes du féminisme conditionne profondément la vie religieuse, presque partout les communautés religieuses féminines sont en recherche positive de formes de vie commune jugées plus adaptées à la conscience renouvelée de l'identité, de la dignité et du rôle de la femme dans la société, dans l'Eglise et dans la vie religieuse.

d) *L'explosion des communications* à partir des années 60 a notablement, et parfois dramatiquement, influencé le niveau général de l'information, le sens de la responsabilité sociale et apostolique, la mobilité apostolique, la qualité des relations à l'intérieur de la communauté religieuse, sans parler de son style de vie et du climat de recueillement qui devrait la caractériser.

e) *Le consumisme et l'hédonisme,* l'affaiblissement de la vision de foi dans un contexte de sécularisme, n'ont pas laissé les communautés religieuses indifférentes. En beaucoup de régions ils ont mis à dure épreuve la capacité de certaines de « résister au mal », mais ont provoqué aussi de nouveaux styles de vie personnelle et communautaire qui sont un témoignage évangélique lumineux pour notre monde.

Tout cela a constitué un défi et un appel à vivre avec plus de vigueur les conseils évangéliques, et à soutenir ainsi le témoignage de la communauté chrétienne.

[19] Cf. *Mulieris Dignitatem;* voir aussi: *GS* 9, 60.

5. Au cours de ces années, les changements qui se sont produits dans la vie religieuse ont eu une incidence profonde sur les communautés.

a) *Nouvelle configuration des communautés religieuses.* Dans beaucoup de pays, les initiatives croissantes de l'Etat dans des milieux où œuvrait la vie religieuse, tels que l'école ou la santé, ainsi que la chute des vocations, ont entraîné une réduction de la présence des religieux et religieuses dans les œuvres propres aux Instituts apostoliques.

On observe une diminution des communautés au service d'œuvres visibles qui caractérisaient depuis de longues années la physionomie de divers instituts.

En même temps, dans certaines régions, on donne la préférence à des communautés plus petites, composées de religieux qui s'engagent dans des œuvres n'appartenant pas à l'Institut, même si souvent ces activités s'accordent avec son charisme. Ce qui a de notables répercussions sur le style de vie communautaire, en exigeant un changement dans les rythmes traditionnels.

Il arrive que le désir sincère de servir l'Eglise, l'attachement aux œuvres de l'Institut et également les demandes pressantes de l'Eglise locale amènent des religieux et des religieuses à se surcharger de travail, avec, en conséquence, une réduction du temps disponible pour la vie commune.

b) *L'augmentation des demandes* d'intervention pour répondre aux besoins les plus urgents (pauvres, drogués, réfugiés, marginaux, handicapés, malades de tout genre), a suscité, de la part de la vie religieuse, des réponses d'un dévouement admirable et admiré.

Mais cela a montré aussi l'urgence de changements dans la physionomie traditionnelle des communautés religieuses, considérées par certains comme peu aptes à affronter les nouvelles situations.

c) *La façon de comprendre et de vivre le travail personnel,* entendu dans un contexte sécularisé comme le simple exercice d'un métier ou d'une profession déterminée, et non comme l'accomplissement d'une mission d'évangélisation, a parfois rejeté dans l'ombre la *consécration* et la dimension spirituelle de la vie religieuse, au point de considérer la vie fraternelle en commun comme un obstacle à l'apostolat lui-même, ou comme un pur instrument fonctionnel.

d) *Une nouvelle conception de la personne* est apparue dans la période qui a suivi immédiatement le Concile, avec une forte insistance sur la valeur et les initiatives de la personne. Peu de temps après s'est vivement manifesté un sens aigu de la communauté, entendue comme une vie fraternelle qui se construit sur la qualité des rapports interpersonnels plutôt que sur les aspects formels de l'observance régulière.

Ces accentuations ont été radicalisées çà et là, d'où les tendances soit à l'individualisme, soit au « communitarisme », sans qu'une synthèse satisfaisante ait été trouvée.

e) *Les nouvelles structures de gouvernement* résultant des constitutions rénovées requièrent une beaucoup plus grande participation de la part des religieux et religieuses. D'où l'apparition d'une manière différente d'affronter les problèmes en faisant appel au dialogue communautaire, à la coresponsabilité et à la subsidiarité. Tous les membres sont amenés à s'intéresser aux problèmes de la communauté. Cela modifie considérablement les rapports interpersonnels, et par suite la façon de considérer l'autorité. Celle-ci, en bien des cas, a du mal à retrouver pratiquement une place précise dans le nouveau contexte.

L'ensemble de ces changements et tendances a eu des incidences sur la physionomie des communautés religieuses, d'une manière profonde, mais aussi différenciée.

Les différences parfois considérables tiennent, on le comprend aisément, à la diversité des cultures et des continents, au fait que les communautés soient féminines ou masculines, aux types de vie religieuse et d'instituts, aux activités variées, aux degrés d'engagement dans la relecture et l'actualisation du charisme du fondateur. Les façons de se situer vis-à-vis de la société et de l'Eglise, l'accueil différent des valeurs proposées par le Concile, les diverses traditions et modalités de vie commune, les manières d'exercer l'autorité et de renouveler la formation permanente, créent autant de différences. Les problématiques ne sont donc communes qu'en partie, et tendent plutôt à se diversifier.

Objectifs du document

6. A la lumière de ces nouvelles situations, le présent document a pour fin de soutenir les efforts réalisés dans beaucoup de communautés religieuses pour améliorer la qualité de leur vie fraternelle. On le fera en

présentant quelques critères de discernement en vue d'un authentique renouveau évangélique.

Ce document veut en outre offrir des motifs de réflexion à ceux qui se sont éloignés de l'idéal communautaire, afin qu'ils reprennent sérieusement en considération la nécessité de la vie fraternelle en commun pour celui qui est voué au Seigneur dans un Institut religieux ou incorporé dans une Société de vie apostolique.

7. Selon ces perspectives nous présenterons:

a) La communauté religieuse *comme don:* avant d'être un projet humain, la vie fraternelle en commun appartient au projet de Dieu, qui veut communiquer sa vie de communion;

b) la communauté religieuse *comme lieu où l'on devient frères et sœurs,* et les itinéraires les plus sûrs offerts à la communauté religieuse pour construire la fraternité chrétienne;

c) la communauté religieuse *comme lieu et sujet de la mission:* les choix concrets qu'elle est appelée à faire dans les diverses situations de sa vie, et les principaux critères de discernement.

Avant de pénétrer dans le mystère de la communion et de la fraternité, comme avant d'entreprendre le difficile discernement nécessaire en vue d'une qualité évangélique renouvelée de nos communautés, il nous faut invoquer humblement l'Esprit Saint afin qu'il accomplisse ce que Lui seul peut accomplir: « Je vous donnerai un cœur nouveau et je mettrai en vous un esprit nouveau; j'ôterai de votre chair le cœur de pierre et je vous donnerai un cœur de chair. Vous serez mon peuple et moi je serai votre Dieu » (*Ez* 36, 26-28).

Chapitre I

LE DON DE LA COMMUNION ET DE LA COMMUNAUTÉ

8. La communauté religieuse, avant d'être une construction humaine, est un don de l'Esprit. C'est grâce à l'amour de Dieu répandu dans les cœurs par l'Esprit que la communauté religieuse prend naissance et c'est grâce à lui qu'elle se construit comme une vraie famille réunie au nom du Seigneur.[20]

On ne peut comprendre la communauté religieuse sans partir de cette réalité qu'elle est un don d'En-Haut, sans partir de son mystère, de son enracinement dans le cœur même de la Trinité sainte et sanctifiante, qui la veut insérée dans le mystère de l'Eglise pour la vie du monde.

L'Eglise comme communion

9. En créant l'être humain à son image et à sa ressemblance, Dieu l'a créé pour la communion. Le Dieu créateur qui s'est révélé comme Amour, Trinité, communion, a appelé l'homme à une intime relation avec Lui ainsi qu'à la communion interpersonnelle et à la fraternité universelle.[21]

La plus haute vocation de l'homme est d'entrer en communion avec Dieu et avec les hommes, ses frères.

Ce dessein de Dieu a été compromis par le péché qui a brisé toutes les relations: entre le genre humain et Dieu, entre l'homme et la femme, entre les frères, entre les peuples, entre l'humanité et la création.

Dans son grand amour, le Père a envoyé son Fils afin que, nouvel Adam, il restaure la création tout entière et la porte à sa parfaite unité. Ce Fils, venu parmi nous, a donné naissance au nouveau peuple de Dieu en appelant à lui des apôtres et des disciples, des hommes et des femmes, parabole vivante de la famille humaine rassemblée dans l'unité. Il leur a an-

[20] Cf. *PC* 15a; can. 602.
[21] Cf. *GS* 3.

noncé la fraternité universelle dans le Père qui nous a fait membres de sa famille, ses enfants, frères et sœurs entre nous. Ainsi il a enseigné l'égalité dans la fraternité, et la réconciliation dans le pardon. Il a renversé les rapports de pouvoir et de domination en donnant lui-même l'exemple du service et en se mettant à la dernière place. Au cours du dernier repas, il leur a confié le commandement nouveau de l'amour mutuel: « Je vous donne un commandement nouveau: vous aimer les uns les autres. Comme je vous ai aimés, aimez-vous, vous aussi, les uns les autres » (*Jn* 13, 34; cf. 15, 12); il a institué l'Eucharistie qui, en nous faisant communier à l'unique pain et à l'unique calice, nourrit l'amour mutuel. Puis, rassemblant tout ses désirs, il s'est adressé à son Père pour lui demander l'unité de tous, modelée sur l'unité trinitaire: « Comme Toi, Père, tu es en moi et moi en toi, qu'eux aussi soient un en nous » (*Jn* 17, 21).

Enfin s'abandonnant à la volonté du Père, il a accompli dans le mystère pascal cette unité qu'il avait appris à ses disciples à réaliser et qu'il avait demandée a son Père. Par sa mort sur la croix il a détruit le mur de séparation entre les peuples, les réconciliant tous dans l'unité (cf. *Ep.* 2, 14-16). Il nous a enseigné ainsi que la communion et l'unité sont données dans le partage du mystère de sa mort.

La venue de l'Esprit Saint, premier don fait aux croyants, a réalisé l'unité voulue par le Christ. Répandu sur les disciples réunis au cénacle avec Marie, cet Esprit a rendu visible l'Eglise, qui, dès le premier instant, est fraternité et communion, n'ayant qu'un seul cœur et une seule âme (cf. *Ac* 4, 32). Cette communion est le lien de charité qui unit entre eux tous les membres du même Corps du Christ et le Corps avec sa Tête. La présence vivifiante de l'Esprit Saint [22] construit la cohésion organique dans le Christ: il unifie l'Eglise dans la communion et dans le ministère, il la coordonne et la dirige par des dons hiérarchiques et charismatiques qui se complètent entre eux et il l'embellit de ses fruits.[23]

Durant son pèlerinage en ce monde, l'Eglise une et sainte a constamment connu une tension, souvent douloureuse, vers l'unité effective. Au long de son histoire, elle a pris une conscience toujours plus vive d'être peuple et famille de Dieu, Corps du Christ, Temple de l'Esprit, Sacrement de l'intime union du genre humain, communion, icône de la Trinité. Le Concile Vatican II a mis en relief, comme jamais peut-être cela

[22] Cf. *LG* 7.
[23] Cf. *LG* 4; *MR* 2.

n'avait été fait jusqu'alors, cette dimension de l'Eglise comme mystère et communion.

La communauté religieuse, expression de la communion ecclésiale

10. La vie consacrée, dès sa naissance, a mis en valeur cette nature intime du christianisme. La communauté religieuse s'est sentie en continuité avec le groupe de ceux qui suivaient Jésus. Il les avait appelés personnellement, un à un, pour vivre en communion avec lui et avec les autres disciples, pour partager sa vie et son destin (cf. *Mc* 3, 13-15), et être ainsi signe de la vie et de la communion inaugurées par Lui. Les premières communautés monastiques ont regardé la communauté des disciples qui suivaient le Christ, et celle de Jérusalem, comme leur idéal de vie. A l'image de l'Eglise naissante n'ayant qu'un cœur et une âme, les moines réunis autour d'un guide spirituel, l'abbé, se sont proposé de vivre la communion radicale des biens matériels et spirituels et l'unité instaurée par le Christ. Celle-ci trouve son prototype et son dynamisme unifiant dans la vie d'unité des Personnes de la Sainte Trinité.

De multiples formes de communautés sont nées dans les siècles suivants sous l'action charismatique de l'Esprit. C'est Lui qui scrute le cœur humain, va à sa rencontre et répond à ses besoins. Il suscite ainsi des hommes et des femmes qui, éclairés de la lumière de l'Evangile et rendus sensibles aux signes des temps, donnent vie à de nouvelles familles religieuses et donc à de nouvelles façons de réaliser l'unique communion, dans la diversité des ministères et des communautés.[24]

On ne peut parler en effet de façon univoque de la communauté religieuse. L'histoire de la vie consacrée témoigne des manières différentes de vivre l'unique communion, selon la nature de chaque institut. C'est ainsi qu'aujourd'hui nous pouvons admirer « l'admirable variété » des familles religieuses dont l'Eglise se trouve enrichie et qui la rendent apte à toute œuvre bonne.[25] De là aussi naît la variété des formes de communautés religieuses.

Mais à travers cette variété de formes, la vie en commun est toujours apparue comme une radicalisation de l'esprit fraternel qui unit tous les

[24] Cf. *PC* 1; *EE* 18-22.
[25] Cf. *PC* 1.

chrétiens. La communauté religieuse rend visible la communion qui fonde l'Eglise; elle est en même temps prophétie de l'unité à laquelle tend l'Eglise comme à son but ultime. « Experts en communion, les religieux sont appelés à être, dans la communauté ecclésiale et dans le monde, témoins et artisans de ce projet de communion qui se trouve au sommet de l'histoire de l'homme selon Dieu.

Par-dessus tout par la profession des conseils évangéliques qui libère de toute entrave la ferveur de la charité, ils deviennent, communautairement, signe prophétique de la communion intime avec Dieu aimé souverainement. En outre, par l'expérience quotidienne de la communauté de vie, de prière et d'apostolat, composantes essentielles et distinctives de leur forme de vie consacrée, ils se font "signe de communion fraternelle". En effet, dans un monde souvent si profondément divisé, et devant tous leurs frères dans la foi, ils témoignent de la capacité d'une mise en commun des biens, de l'affection fraternelle, du projet de vie et d'activité. Cela leur est possible parce qu'ils ont accepté l'invitation à suivre plus librement et de plus près le Christ Seigneur envoyé par le Père afin que premier-né parmi de nombreux frères, il institue dans le don de son Esprit une nouvelle communion fraternelle ».[26]

Cela sera visible s'ils se sentent avec et dans l'Eglise, et plus encore s'ils sentent l'Eglise, s'identifiant à elle en pleine communion avec sa doctrine, sa vie, ses pasteurs, ses fidèles, sa mission dans le monde.[27]

Le témoignage offert par les contemplatifs et contemplatives est particulièrement significatif. Chez eux la vie fraternelle prend des dimensions très vastes et profondes, qui dérivent de l'exigence fondamentale de cette vocation spéciale, c'est-à-dire la recherche de Dieu seul dans le silence et la prière.

Leur attention prolongée à Dieu rend particulièrement délicate et respectueuse leur attention aux autres membres de la communauté, et la contemplation devient une force libératrice de toute forme d'égoïsme.

La vie fraternelle menée en commun dans un monastère est appelée à être un signe vivant du mystère de l'Eglise. Plus grand est le mystère de grâce, plus riche est le fruit du salut.

Ainsi l'Esprit du Seigneur, qui a réuni les premiers croyants et convoque continuellement l'Eglise en une unique famille, convoque et nourrit

[26] *RPH* 24.
[27] Cf. *PI* 21-22.

les familles religieuses. Grâce à leurs communautés répandues par toute la terre, elles ont mission d'être des signes particulièrement lisibles de l'intime communion qui anime et constitue l'Eglise, et d'être un soutien pour la réalisation du plan de Dieu.

Chapitre II

LA COMMUNAUTÉ RELIGIEUSE, LIEU OU L'ON DEVIENT FRÈRES ET SŒURS

11. Le don de la communion suscite le devoir de construire la fraternité, de devenir frères et sœurs dans une communauté dont les membres sont appelés à vivre ensemble. De l'acceptation émerveillée et pleine de reconnaissance de la communion divine participée par de pauvres créatures, naît la conviction du nécessaire engagement à la rendre toujours mieux visible par la construction d'une communauté « pleine de joie et de l'Esprit Saint » (*Ac* 13, 52).

En notre temps et pour notre temps il est nécessaire de reprendre cette œuvre « divino-humaine » de l'édification de communautés de frères et de sœurs, en tenant compte des conditions particulières de ces dernières années, au cours desquelles le renouveau théologique, canonique, social et structurel a fortement marqué la physionomie et la vie de la communauté religieuse.

A partir de quelques situations concrètes, nous voudrions offrir des indications utiles pour soutenir l'effort de constant renouvellement évangélique des communautés.

Spiritualité et prière commune

12. Etant donné son enracinement mystique, toute communauté chrétienne authentique apparaît « en elle-même comme une réalité théologale, objet de contemplation ».[28] La communauté religieuse est avant tout un mystère qui doit être contemplé et accueilli dans l'admiration et l'action de grâce, dans une claire dimension de foi.

Quand on oublie cette dimension mystique et théologale, liée au mystère de la communion divine présente et communiquée à la communauté,

[28] *DC* 15.

on en vient irrémédiablement à oublier aussi les raisons profondes de vivre en communauté, de construire patiemment la vie fraternelle. Cette construction peut paraître dépasser les forces humaines et sembler de plus un inutile gaspillage d'énergie, en particulier pour des personnes intensément engagées dans l'action, et conditionnées par une culture activiste et individualiste.

Le Christ lui-même qui les a appelés convoque chaque jour ses frères et ses sœurs pour leur parler, les unir à lui et les unir entre eux dans l'Eucharistie, pour qu'ils soient toujours plus son Corps vivant et visible, animé par l'Esprit, en chemin vers le Père.

La prière en commun, qui a toujours été à la base de toute vie communautaire, part de la contemplation du grand et sublime Mystère de Dieu et de l'admiration pour sa présence, à l'œuvre dans les moments les plus significatifs des familles religieuses comme dans l'humble et quotidienne réalité des communautés.

13. Afin de répondre à l'avertissement du Seigneur: « Veillez et priez » (*Lc* 21, 36), la communauté religieuse doit être vigilante et prendre le temps nécessaire pour avoir soin de la qualité de sa vie. Parfois la journée des religieux et religieuses "qui n'ont pas le temps", risque d'être trop inquiète et anxieuse et d'aboutir à la fatigue et à l'épuisement. En fait, la communauté religieuse est rythmée par un horaire permettant de réserver des moments pour la prière, et d'apprendre ainsi à donner du temps à Dieu (*vacare Deo*).

La prière doit être comprise comme un temps de rencontre avec le Seigneur, pour qu'il puisse agir en nous et, au milieu des distractions et des fatigues, combler la vie, la réconforter, la guider. Pour que, finalement, toute l'existence puisse lui appartenir.

14. Une des acquisitions les plus précieuses de ces décennies, reconnue et appréciée par tous, a été la redécouverte de la prière liturgique par les familles religieuses.

La célébration en commun de la *Liturgie des Heures,* ou au moins de certaines de ses parties, a revitalisé la prière de nombreuses communautés, qui ont été amenées à un contact plus vivant avec la Parole vivante de Dieu et avec la prière de l'Eglise.[29]

[29] Cf. can. 663 § 3; et 608.

Il faut entretenir la conviction que la communauté se construit à partir de la Liturgie et surtout de la célébration de l'Eucharistie [30] et des autres sacrements. Le sacrement de la Réconciliation, par lequel le Seigneur ravive l'union avec lui-même et avec les frères, mérite qu'on lui prête une attention renouvelée.

A l'imitation de la première communauté de Jérusalem (cf. *Ac* 2, 42), la Parole, l'Eucharistie, la prière en commun, l'assiduité et la fidélité à l'enseignement des Apôtres et de leurs successeurs, mettent au contact des grandes œuvres de Dieu. Celles-ci, célébrées communautairement, s'éclairent et suscitent la louange, l'action de grâces, la joie, l'union des cœurs, le soutien dans les difficultés quotidiennes de la vie commune, l'affermissement mutuel dans la foi.

Malheureusement la diminution du nombre des prêtres peut rendre ici ou là impossible la participation quotidienne à la Messe. Malgré tout, il faut avoir soin de chercher à comprendre toujours plus profondément le grand don de l'Eucharistie et de mettre au centre de la vie le Saint Mystère du Corps et du Sang du Seigneur, vivant et présent dans la communauté pour la soutenir et l'animer sur son chemin vers le Père. De là découle la nécessité d'avoir dans chaque maison religieuse, comme centre de la communauté, un oratoire [31] où il lui soit possible d'alimenter sa spiritualité eucharistique par la prière et l'adoration.

C'est en effet autour de l'Eucharistie, célébrée ou adorée, « sommet et source » de toute l'activité de l'Eglise, que se construit la communion des cœurs, prémice de toute croissance dans la fraternité. « C'est par l'Eucharistie que doit commencer toute éducation de l'esprit communautaire ».[32]

15. La prière en commun atteint toute son efficacité quand elle est intimement unie à la prière personnelle. Prière commune et prière personnelle sont étroitement liées et complémentaires. Partout, mais spécialement dans certaines régions et cultures, il est nécessaire de souligner davantage le temps de l'intériorité, de la relation filiale avec le Père, du dialogue intime et sponsal avec le Christ, de l'approfondissement personnel de ce qui a été célébré et vécu dans la prière communautaire; il faut rappeler que le silence intérieur et extérieur permet d'ouvrir le cœur jus-

[30] Cf. *PO* 6; *PC* 6.
[31] Cf. can. 608.
[32] Cf. *PO* 6.

qu'en ses profondeurs les plus secrètes à l'action régénératrice de la Parole et de l'Esprit.

La personne consacrée en communauté nourrit sa vie de consécration, et par le constant dialogue personnel avec Dieu, et par la louange et l'intercession communautaire.

16. La prière en commun s'est enrichie ces dernières années de diverses formes d'expression et de participation.

Pour de nombreuses communautés, le partage de la *Lectio divina* et celui des réflexions sur la Parole de Dieu, la communication des expériences personnelles dans la vie de foi et celle des soucis apostoliques ont été particulièrement fructueux. Cependant les différences d'âge, de formation, de caractère, invitent à la prudence, s'il s'agit de demander ces partages indistinctement à toute la communauté: il est bon de veiller à ne pas anticiper le moment où ils seront possibles.

Pratiqués spontanément et d'un commun accord, ils entretiennent les vues de foi et d'espérance, l'estime et la confiance mutuelle, ils favorisent la réconciliation et la solidarité fraternelle dans un climat de prière.

17. A la prière communautaire s'applique tout autant qu'à la prière personnelle l'invitation du Seigneur à « prier constamment sans se lasser » (*Lc* 18, 1; cf. *1 Th* 5, 17).

La communauté religieuse, en effet, vit constamment sous le regard de son Seigneur et doit avoir une conscience continuelle de sa présence. La prière en commun a toutefois ses rythmes dont la fréquence (quotidienne, hebdomadaire, mensuelle, annuelle) est fixée par le droit propre de chaque Institut.

La prière en commun, si elle demande la fidélité à un horaire, requiert aussi et surtout la persévérance: « afin que, par la persévérance et la consolation que nous donnent les Ecritures, nous gardions une vive espérance (...), afin que d'un même cœur et d'une même voix vous rendiez gloire à Dieu, Père de Notre Seigneur Jésus Christ » (*Rm* 15, 4-6).

Cette fidélité et cette persévérance aideront à surmonter avec créativité et sagesse des difficultés que rencontrent un certain nombre de communautés, comme la diversité des engagements et donc des horaires, la surcharge de travaux absorbants, les fatigues de toutes sortes.

18. L'invocation de la Bienheureuse Vierge Marie, inspirée par un amour qui conduit à l'imiter, fait que la communauté religieuse reçoit de

sa présence exemplaire et maternelle un grand soutien dans la fidélité quotidienne à la prière (cf. *Ac.* 1, 14), et un fort lien de communion.[33]

La Mère du Seigneur contribuera à configurer les communautés religieuses au modèle de « sa » famille, la Famille de Nazareth; elles se rendront souvent spirituellement en ce lieu où a été vécu d'une manière admirable l'Evangile de la communion et de la fraternité.

19. L'élan apostolique, lui aussi, est soutenu et alimenté par la prière commune. D'une part elle est une force mystérieuse et transformante qui embrasse toutes les réalités pour racheter et ordonner le monde. D'autre part elle trouve son stimulant dans le ministère apostolique, dans ses joies et dans les difficultés quotidiennes. Celles-ci deviennent occasion de rechercher et découvrir la présence et l'action du Seigneur.

20. Les communautés religieuses les plus apostoliques et qui vivent le plus intensément l'Evangile, qu'elles soient contemplatives ou actives, sont celles qui ont une riche expérience de prière.

A une époque comme la nôtre où l'on assiste à un certain réveil de la recherche du transcendant, les communautés religieuses peuvent devenir des lieux privilégiés où l'on expérimente les voies qui conduisent à Dieu.

« Comme famille unie au nom du Seigneur, (la communauté religieuse) est, par sa nature, le lieu où l'expérience de Dieu doit pouvoir se réaliser dans sa plénitude et se communiquer aux autres »:[34] et tout d'abord, aux membres mêmes de la communauté.

Les personnes consacrées à Dieu, hommes et femmes, manqueront-elles ce rendez-vous avec l'histoire en ne répondant pas à la quête de Dieu de nos contemporains, au risque de les amener à chercher ailleurs, par des voies erronées, comment rassasier leur faim d'absolu?

Liberté personnelle et construction de la fraternité

21. « Portez les fardeaux les uns des autres et accomplissez ainsi la Loi du Christ » (*Ga* 6, 2).

Dans toute la dynamique communautaire, le Christ en son mystère pascal demeure le modèle suivant lequel se construit l'unité. Le comman-

[33] Cf. Can. 663 § 4.
[34] *DC* 15.

dement de l'amour mutuel, en effet, a en Lui sa source, son modèle et sa mesure: nous devons nous aimer comme Lui-même nous a aimés. Et Lui nous a aimés jusqu'à donner sa vie. Notre vie est participation à la charité du Christ, à son amour pour le Père et pour les frères, un amour oublieux de soi.

Mais cela n'est pas selon la nature du « vieil homme », qui désire certes la communion et l'unité, mais n'entend pas en payer le prix en termes d'engagement et de don de soi. Le chemin de conversion, du vieil homme qui tend à se fermer sur soi, à l'homme nouveau qui se donne aux autres, est long et pénible. Les saints fondateurs ont insisté avec réalisme sur les difficultés et les embûches de ce passage, sachant bien que la vie de communauté ne s'improvise pas, que sa réalisation n'est ni spontanée, ni immédiate.

Pour vivre en frères et en sœurs, il faut parcourir un vrai chemin de libération intérieure. Comme Israël, libéré de l'Egypte, est devenu Peuple de Dieu après avoir longtemps cheminé dans le désert sous la conduite de Moïse, ainsi la communauté, insérée dans l'Eglise peuple de Dieu, est construite par des personnes que le Christ a libérées et rendues capables d'aimer à sa manière, à travers le don de son Amour libérateur et l'acceptation cordiale de ses envoyés.

L'amour du Christ diffusé dans les cœurs pousse à aimer les frères et les sœurs jusqu'à assumer leurs faiblesses, leurs problèmes, leurs difficultés; en un mot jusqu'à se livrer soi-même.

22. Le Christ donne à la personne deux certitudes fondamentales: celle d'avoir été infiniment aimée et celle de pouvoir aimer sans limites. Il n'y a que la croix du Christ qui puisse donner d'une façon pleine et définitive ces certitudes et la liberté qui en découle. Grâce à elles, la personne consacrée se libère progressivement du besoin de se mettre au centre de tout et de posséder l'autre, et de la peur de se donner. Elle apprend à aimer comme le Christ l'a aimée, à aimer de cet amour répandu dans son cœur, qui la rend capable de s'oublier et de se donner comme l'a fait son Seigneur.

C'est de cet amour que naît la communauté comme un ensemble de personnes libres, libérées par la croix du Christ.

23. Ce chemin de libération qui conduit à la pleine communion et à la liberté des enfants de Dieu demande le courage du renoncement à soi

pour accepter et accueillir l'autre avec ses limites, à commencer par la personne en service d'autorité.

Comme on l'a noté de plusieurs côtés, il y a eu là un point faible de la période de renouveau de ces dernières années. On a progressé dans la connaissance de la vie en commun, on en a exploré les différents aspects, mais on s'est moins soucié de l'effort ascétique nécessaire et irremplaçable pour une libération qui permette de faire d'un groupe de personnes une fraternité chrétienne.

La communion est un don offert, mais requiert une réponse, un patient apprentissage et un combat afin de surmonter ce que nos désirs peuvent avoir de trop instinctif et changeant. L'idéal communautaire le plus haut comporte nécessairement la conversion de toute attitude qui ferait obstacle à la communion.

La communauté sans la mystique n'a pas d'âme, mais sans ascèse elle n'a pas de corps. Il faut la « synergie » entre le don de Dieu et l'engagement personnel pour construire une communion incarnée, pour donner un visage concret à la grâce et au don de la communion fraternelle.

24. Il faut admettre que ce discours fait problème aujourd'hui auprès des jeunes comme auprès des adultes. Souvent les jeunes proviennent d'une culture qui valorise à l'excès la subjectivité et la recherche de la réalisation personnelle; et il arrive que les adultes, ou bien sont encore ancrés en des structures du passé, ou bien vivent un certain désenchantement par rapport à un « assembléisme » qui a engendré verbalisme et incertitude.

S'il est vrai que la communion n'existe pas sans l'oblativité de chacun, il est nécessaire de perdre dès le départ l'illusion que tout doit venir d'autrui et d'aider chacun à découvrir avec reconnaissance ce qu'il a déjà reçu et ce qu'il est en train de recevoir des autres. Il est bon de préparer les frères et les sœurs, dès les débuts, à être constructeurs et pas seulement consommateurs de la communauté, à être responsables de la croissance de l'autre, ouverts et disponibles pour recevoir le don de l'autre, capables d'aider et d'être aidés, de remplacer et d'être remplacés.

Une communauté qui vit la fraternité et le partage exerce un attrait naturel sur les jeunes, mais, par la suite, la persévérance dans les conditions de la vie concrète peut leur devenir un pesant fardeau. La formation initiale doit donc les amener à prendre conscience des sacrifices requis par la vie en communauté, à les accepter en vue d'une relation joyeuse et vraiment fraternelle, et à vouloir toutes les attitudes d'une personne intérieurement libre;[35] car, en perdant sa vie pour ses frères, on la retrouve.

25. Il est nécessaire en outre de rappeler sans cesse que la réalisation des religieux et religieuses passe par leur communauté. Qui cherche à mener une vie indépendante, détachée de la communauté, n'a certainement pas pris le sûr chemin pour tendre à la perfection de son état.

Alors que la société encourage l'indépendance, l'auto-réalisation et la réussite individuelle, l'Evangile demande des personnes qui, comme le grain de blé, sachent mourir à elles-mêmes pour que renaisse la vie fraternelle.[36]

C'est ainsi que la communauté devient une « *Schola Amoris* » pour les jeunes et les adultes. Une école où l'on apprend à aimer Dieu, à aimer les frères et les sœurs avec lesquels on vit, à aimer l'humanité qui a besoin de la miséricorde de Dieu et de la solidarité fraternelle.

26. L'idéal communautaire ne doit pas faire oublier que toute réalité chrétienne s'édifie sur la faiblesse humaine. La communauté idéale et parfaite n'existe pas encore: c'est dans la Jérusalem céleste que se réalisera la parfaite communion des saints.

Notre temps est celui de l'édification et de la construction continue: il est toujours possible de s'améliorer et de s'acheminer ensemble vers une communauté de pardon et d'amour. Les communautés ne peuvent éviter tous les conflits: l'unité qu'elles doivent construire s'établit au prix de la réconciliation.[37] Aussi ne faut-il pas se décourager devant les imperfections de la communauté.

Celle-ci en effet reprend tous les jours son chemin, fortifiée par l'enseignement des Apôtres: « aimez-vous les autres d'un amour fraternel, rivalisez d'estime réciproque » (*Rm* 12, 10); « soyez bien d'accord entre vous » (Rm 12, 16); « accueillez-vous donc les uns les autres comme le Christ vous a accueillis » (*Rm* 15, 7); « soyez capables de vous avertir mutuellement » (*Rm* 15, 14); « attendez-vous les uns les autres »(*1 Co* 11, 33); « par l'amour, mettez-vous au service les uns des autres » (*Ga* 5, 13); « réconfortez-vous les uns les autres » (*1 Th* 5, 11); « supportez-vous les

[35] Cf. *PI* 32-34, 87.
[36] Cf. *LG* 46b.
[37] Can. 602; *PC* 15a

uns les autres dans l'amour » (*Ep* 4, 2); « soyez bons les uns pour les autres, ayez du cœur, pardonnez-vous mutuellement » (*Ep* 4, 32); « vous qui craignez le Christ soumettez-vous les uns aux autres » (*Ep* 5, 21); « priez les uns pour les autres » (*Jc* 5, 16); « tous, dans vos rapports mutuels, revêtez-vous de l'humilité » (*1 Pt* 5, 5); « soyez en communion les uns avec les autres »(*1 Jn* 1, 7); « ne nous lassons pas de faire du bien à tous, surtout à nos frères dans la foi » (*Ga* 6, 9-10).

27. Pour favoriser la communion d'esprit et de cœur de ceux qui sont appelés à vivre ensemble dans une communauté, il est bon de rappeler la nécessité de cultiver les qualités requises dans toutes les relations humaines: bonne éducation, gentillesse, sincérité, contrôle de soi, délicatesse, sens de l'humour, esprit de partage.

Les récents documents du Magistère sont riches de suggestions et d'indications utiles à la vie communautaire, telles que la simplicité heureuse,[38] la franchise et la confiance réciproque,[39] la capacité de dialoguer,[40] l'adhésion sincère à une discipline communautaire bénéfique.[41]

28. Il ne faut pas oublier, enfin, que la paix et le plaisir d'être ensemble demeurent l'un des signes du Royaume de Dieu. La joie de vivre, même au milieu des difficultés du chemin humain et spirituel et au milieu des ennuis quotidiens, fait déjà partie du Royaume. Cette joie est fruit de l'Esprit et épouse la simplicité de l'existence, la trame monotone du quotidien. Une fraternité sans joie est une fraternité qui s'éteint. Très vite, les membres seront tentés de chercher ailleurs ce qu'ils ne peuvent trouver chez eux. Une communauté riche de joie est un véritable don du Très-Haut, accordé aux frères et sœurs qui savent le demander, et qui s'acceptent mutuellement en s'engageant dans la vie fraternelle avec confiance en l'action de l'Esprit. Ainsi se réalise le mot du Psaume: « Voyez! Qu'il est bon, qu'il est doux pour des frères d'habiter ensemble... Là, le Seigneur accorde la bénédiction et la vie à jamais! » (*Ps.* 133, 1-3), « car lorsqu'on vit fraternellement ensemble, on se retrouve volontiers en assemblée à l'Eglise: on se sent d'un seul cœur, dans la charité, dans un seul et même vouloir ».[42]

[38] *ET* 39.
[39] *PC* 14.
[40] Can. 619.
[41] *ET* 39; *EE* 19.
[42] S. Hilaire, *Tract. sup. Ps.* I, 132; *PL* Suppl. I, 244.

Ce témoignage de joie donne à la vie religieuse une grande force d'attraction, il est une source de nouvelles vocations et un soutien pour la persévérance. Il est très important d'entretenir cette joie dans la communauté religieuse; le surmenage peut l'éteindre, le zèle excessif pour certaines causes peut la faire oublier, l'interrogation perpétuelle sur l'identité et sur l'avenir peut la ternir.

Savoir faire fête ensemble, s'accorder des moments de détente personnels et communautaires, prendre de la distance de temps en temps par rapport à son travail, partager les joies de ses frères et sœurs, porter une attention empressée a leurs besoins, s'engager avec confiance dans le travail apostolique, affronter avec miséricorde les situations difficiles, marcher vers le lendemain avec l'espérance de rencontrer toujours et de toute façon le Seigneur: tout cela entretient la sérénité, la paix, la joie et devient source d'énergie apostolique.

La joie est un splendide témoignage du caractère évangélique d'une communauté religieuse, le point d'arrivée d'un itinéraire non exempt de tribulations, mais devenu possible grâce à la prière: « avec la joie de l'espérance, constants dans la tribulation, persévérants dans la prière » (*Rm* 12, 12).

Communiquer pour croître ensemble

29. Parmi les facteurs humains qui ont pris de l'importance pour la vie communautaire dans le renouveau des dernières décennies, la communication a été de plus en plus mise en valeur. L'exigence de faire croître la vie fraternelle de la communauté porte avec soi la requête correspondante d'une communication plus large et plus intense.

Pour devenir frères et sœurs, il est nécessaire de se connaître. Pour se connaître il semble très important de communiquer plus largement et profondément. Aussi porte-t-on aujourd'hui une plus grande attention aux divers aspects de la communication, même si on le fait dans une mesure et d'une manière différentes suivant les instituts et les régions du monde.

30. La communication à l'intérieur des instituts s'est beaucoup développée. Les rencontres régulières au niveau central, régional et provincial, sont devenues plus fréquentes; les supérieurs envoient normalement lettres et suggestions, visitent plus souvent les communautés, et l'usage de bulletins de nouvelles et de périodiques internes s'est répandu.

Cette communication ample et rapide aux différents niveaux, dans le respect de la physionomie propre de l'institut, crée normalement des relations plus étroites, alimente l'esprit de famille, fait participer aux événements de tout l'institut, sensibilise aux problèmes généraux, resserre les personnes consacrées autour de leur commune mission.

31. Une initiative s'est révélée grandement positive pour la vie communautaire. Elle consiste à tenir régulièrement, souvent selon un rythme hebdomadaire, des rencontres où religieux et religieuses partagent les problèmes de la communauté, de l'institut, de l'Eglise et les principaux documents publiés par celle-ci. Ce sont des moments tout indiqués pour écouter les autres, leur communiquer ses propres pensées, revoir et évaluer le parcours accompli, réfléchir et programmer ensemble.

La vie fraternelle, en particulier dans les grandes communautés, a besoin de ces moments pour progresser, aussi faut-il les préserver de tout autre engagement. Ces temps de communication importent pour l'exercice de la coresponsabilité et pour situer le travail non seulement dans le contexte de la vie communautaire, mais dans celui plus large de la vie religieuse, ecclésiale, et dans celui du monde auquel on est envoyé en mission. C'est un chemin qu'il faut continuer de suivre partout, en adaptant les rythmes et les modalités aux dimensions des communautés et à leurs tâches, et en respectant le style de vie propre aux communautés contemplatives.

32. Mais ce n'est pas tout. En plusieurs endroits, on perçoit la nécessité d'une communication plus intense entre religieux ou religieuses d'une même communauté. La vie fraternelle s'affaiblit ordinairement lorsque la communication est absente ou pauvre: alors chacun ignore ce que vit l'autre, le frère devient un étranger, les relations avec lui sont anonymes; et on en arrive à des situations de véritable isolement et de réelle solitude. Dans quelques communautés, on déplore la médiocrité de la communication pourtant fondamentale des biens spirituels: on communique sur des thèmes ou des problèmes secondaires, marginaux, mais on partage rarement ce qui est vital et central dans le chemin d'une personne consacrée.

Les conséquences peuvent être malheureuses, parce qu'alors l'expérience spirituelle acquiert insensiblement un caractère individualiste. On en vient à une mentalité de quant-à-soi, jointe à l'indifférence pour l'autre, tandis que tout doucement on se met à la recherche de relations significatives à l'extérieur de la communauté.

Le problème doit être franchement affronté, avec tact et délicatesse, sans aucune pression, mais avec courage et créativité: en cherchera les formes et les moyens qui puissent permettre à tous d'apprendre peu à peu à partager simplement et fraternellement les dons de l'Esprit, en sorte que ceux-ci deviennent vraiment le bien de tous et servent à l'édification de tous (cf. *1 Co* 12, 7).

La communion naît en vérité du partage des biens de l'Esprit, d'un partage de la foi et dans la foi où le lien unissant les frères est d'autant plus fort qu'est plus central et plus vital ce que l'on met en commun. Cette communication est utile aussi pour apprendre la façon de partager, ce qui permettra ensuite à chacun, dans l'apostolat, de « confesser sa foi » dans un langage clair et simple de sorte que tous puissent la comprendre et la goûter.

Les formes adoptées pour la communication des dons spirituels peuvent être diverses. Outre celles qui ont déjà été signalées (partage de la Parole et de l'expérience de Dieu, discernement communautaire, projet communautaire),[43] on peut rappeler aussi la correction fraternelle, la révision de vie et d'autres formes traditionnelles. Ce sont des façons concrètes de mettre au service des autres les dons que l'Esprit accorde abondamment et de permettre qu'ils se répandent dans la communauté pour l'édification de celle-ci et pour sa mission dans le monde.

Tout cela revêt une plus grande importance à notre époque où, dans une même communauté, peuvent vivre ensemble des religieux non seulement d'âges différents, mais de races, de formations culturelles et théologiques différentes, des religieux ayant vécu des expériences très diverses en ces années mouvementées et marquées par le pluralisme.

Sans dialogue et sans écoute, on court le risque de vies juxtaposées ou parallèles, bien éloignées de l'idéal de la fraternité.

33. Toute forme de communication comporte des itinéraires et rencontre des difficultés psychologiques particulières, qui peuvent être abordées positivement, y compris avec l'aide des sciences humaines. Certaines communautés ont tiré avantage, par exemple, de l'aide d'experts en

[43] Cf. *supra:* nn. 14, 16, 28 et 31.

communication et de professionnels dans les domaines de la psychologie et de la sociologie.

Ces moyens d'exception demandent une évaluation prudente et peuvent être utilisés avec modération pour contribuer à abattre le mur de séparation qui parfois se dresse dans la communauté elle-même. Cependant si les techniques humaines se révèlent utiles, elles ne sont pas suffisantes. Tous doivent avoir à cœur le bien des autres, en cultivant la capacité évangélique de recevoir d'eux tout ce qu'ils désirent donner et communiquer, et qu'ils communiquent par leur existence même.

« Ayez les mêmes sentiments et un même amour. Soyez cordiaux et unanimes. Avec grande humilité, estimez les autres meilleurs que vous-mêmes. Ne recherchez pas chacun vos propres intérêts, mais plutôt que chacun songe à ceux des autres! Ayez entre vous les dispositions que l'on doit avoir dans le Christ Jésus! » (*Ph.* 2, 2-5).

C'est dans ce climat que les diverses formes et techniques de communication compatibles avec la vie religieuse peuvent effectivement favoriser la croissance de la fraternité.

34. L'impact considérable des mass media sur la vie et la mentalité de nos contemporains affecte également les communautés religieuses et conditionne souvent leur communication interne.

La communauté consciente de leur influence s'éduque à les utiliser pour la croissance personnelle et communautaire avec la clarté évangélique et la liberté intérieure de quiconque a appris à connaître le Christ (cf. *Ga* 4, 17-23).

Ces media, en effet, proposent et souvent imposent une mentalité et un modèle de vie qui doivent être continuellement confrontés avec l'Evangile. Aussi réclame-t-on de bien des côtés une formation approfondie à la réception et à l'usage critique et fécond des media. Pourquoi ne pas en faire un objet d'évaluation, de vérification, de programmation lors des rencontres communautaires périodiques?

En particulier, quand la télévision devient l'unique forme de récréation, elle entrave ou parfois empêche la relation entre les personnes, elle limite la communication fraternelle et peut même nuire à la vie consacrée.

Un juste équilibre s'impose: l'usage modéré et prudent des moyens de communication,[44] accompagné du discernement communautaire, peut aider

[44] Cf. *DC* 14; *PI* 13; can. 666.

la communauté à mieux connaître la complexité du monde de la culture; il peut permettre une réception confrontée et critique; il peut enfin aider à mettre en valeur l'impact de ces moyens de communication en vue des divers ministères de l'Evangile.

En accord avec le choix de leur état de vie spécifique, caractérisé par une séparation du monde plus marquée, les communautés contemplatives doivent se sentir davantage engagées à préserver une ambiance de recueillement, en s'en tenant aux normes établies dans leurs constitutions sur l'usage des moyens de communication sociale.

COMMUNAUTÉ RELIGIEUSE ET MATURATION DE LA PERSONNE

35. La communauté religieuse, du fait qu'elle est une « *Schola Amoris* » qui aide à progresser dans l'amour envers Dieu et les frères, devient aussi un lieu de croissance humaine.

Le parcours est exigeant, car « il comporte la renonciation à des biens qui méritent indiscutablement l'estime »,[45] mais nous voyons qu'il n'est pas impossible, en observant la foule des saints et des saintes et les merveilleuses figures de religieux et religieuses dont la vie atteste que la consécration au Christ « ne fait nullement obstacle au vrai progrès de la personne humaine, mais, au contraire, de par sa nature, lui est du plus grand profit ».[46]

Le chemin vers la maturité humaine, qui sous-tend une vie de rayonnement évangélique, ne connaît pas de limite; il suppose un continuel enrichissement non seulement de valeurs spirituelles, mais encore de valeurs d'ordre psychologique, culturel et social.[47]

Les changements considérables survenus dans la culture et dans les mœurs, plus orientées vers les réalités matérielles que vers les valeurs spirituelles, demandent que l'on prête attention à quelques points sur lesquels les personnes consacrées semblent aujourd'hui particulièrement vulnérables.

36. *L'identité*

Le processus de maturation se réalise dans l'identification avec l'appel de Dieu. Une identité incertaine peut pousser, en particulier dans les mo-

[45] *LG* 46.
[46] *Ibidem.*
[47] Cf. *EE* 45.

ments difficiles, à une auto-réalisation mal comprise, entraînant un extrême besoin de résultats positifs et de l'approbation des autres, une peur excessive de l'échec, et la dépression en cas d'insuccès.

L'identité de la personne consacrée dépend avant tout de sa maturation spirituelle: c'est l'œuvre de l'Esprit, qui pousse à se conformer au Christ selon la manière particulière donnée « par le charisme des origines, véritable médiation de l'Evangile pour les membres d'un Institut ».[48] L'aide apportée par un guide spirituel, qui connaisse bien et respecte la spiritualité et la mission de l'Institut, s'avère alors très importante pour « discerner l'action de Dieu, accompagner le frère dans les voies du Seigneur, nourrir sa vie par une solide doctrine et la pratique de la prière ».[49] Particulièrement nécessaire dans la formation initiale, cet accompagnement est utile tout au long de la vie pour une « croissance dans le Christ ».

La maturation au plan culturel permet aussi d'affronter les défis de la mission, en prenant les moyens nécessaires pour discerner le mouvement de l'évolution et pour élaborer des réponses adéquates. Ainsi l'Evangile sera sans cesse proposé comme alternative aux propositions du monde dont il intègrera les forces positives en les purifiant des ferments du mal.

Dans cette dynamique, la personne consacrée et la communauté religieuse sont une proposition évangélique et une manifestation de la présence du Christ au monde.[50]

37. *L'affectivité*

La vie fraternelle en commun exige de la part de l'ensemble un bon équilibre psychologique, condition de maturation de la vie affective de chacun. Une composante fondamentale de cette maturation est, comme nous l'avons vu, la liberté affective, grâce à laquelle le consacré aime sa vocation, et aime selon sa vocation: liberté et maturation qui permettent de bien vivre l'affectivité, à l'intérieur comme à l'extérieur de la communauté.

Aimer sa vocation, percevoir l'appel comme raison de vivre, accueillir la consécration comme une réalité vraie, belle et bonne qui communique vérité, beauté et bonté à l'existence: tout cela rend la personne solide et autonome, sûre de son identité, affranchie du besoin d'appuis et de

[48] Cf. *EE* 45.
[49] *EE* 47.
[50] Cf. *LG* 44.

compensations, y compris de nature affective, et cela renforce le lien du consacré avec ceux qui partagent le même appel. Avec eux, avant tout, il se sent appelé à vivre des relations de fraternité et d'amitié.

Aimer sa vocation c'est aimer l'Eglise, aimer son institut, et considérer la communauté comme sa vraie famille.

Aimer selon sa vocation c'est désirer, en toute relation humaine, être signe limpide de l'amour de Dieu; c'est ne pas se faire envahissant ou possessif, mais vouloir le bien de l'autre avec la bienveillance même de Dieu.

Une formation spécifique de l'affectivité est donc nécessaire; elle intégrera l'élément humain et l'élément plus spirituel. A cet égard apparaissent tout à fait opportunes les directives de *Potissimum Institutioni* concernant le discernement de « l'équilibre de l'affectivité, particulièrement de l'équilibre sexuel » et celui de « la capacité de vivre en communauté ».[51]

Cependant, les difficultés en ce domaine sont souvent la caisse de résonance de problèmes nés ailleurs: une affectivité et une sexualité de type narcissique ou adolescent, des réactions rigidement réprimées, peuvent être la conséquence d'expériences négatives antérieures à l'entrée dans la communauté, mais aussi de difficultés communautaires ou apostoliques. Il est important qu'une vie fraternelle riche et chaleureuse permette de porter le fardeau du frère blessé qui a besoin d'être aidé.

Si une certaine maturité, en effet, est une condition nécessaire pour vivre en communauté, une vie fraternelle cordiale l'est tout autant pour la croissance du religieux. En constatant éventuellement une baisse de l'autonomie affective d'un frère ou d'une sœur, la communauté devrait réagir en termes d'amour généreux et plein d'humanité, comme celui du Seigneur Jésus et de tant de saints religieux: un amour qui partage les peurs et les joies, les difficultés et les espoirs, avec la chaleur d'un cœur neuf sachant accueillir la personne telle qu'elle est. Un tel amour empressé et respectueux, non pas possessif mais gratuit, devrait faire sentir tout proche celui du Seigneur, qui a conduit le Fils de Dieu à proclamer par la croix qu'on ne peut pas douter d'être aimé par l'Amour.

38. *Les difficultés*

Vivre avec des personnes qui souffrent, ne se trouvent pas à l'aise dans la communauté, sont en conséquence un motif de souffrance pour les

[51] *PI* 43.

frères et troublent la vie communautaire, cela constitue une occasion particulière de croissance humaine et de maturité chrétienne.

Il faut avant tout chercher d'où vient cette souffrance: d'une déficience de caractère, de charges ressenties comme trop pesantes, de graves lacunes de la formation, des transformations récentes trop rapides, de formes trop autoritaires de gouvernement, de difficultés spirituelles?

Il peut y avoir aussi des situations dans lesquelles l'autorité doit rappeler que la vie en commun demande parfois des sacrifices et peut devenir une forme de très grande pénitence (*maxima pœnitentia*).

Toutefois il existe des situations et des cas où il est nécessaire de recourir aux sciences humaines, principalement là où les frères ou sœurs en question sont incapables de mener la vie communautaire en raison de problèmes d'immaturité et de fragilité psychologique ou en raison de facteurs surtout pathologiques.

Le recours à de telles interventions s'est révélé utile non seulement au moment de la thérapie dans des cas de psychopathologie plus ou moins manifeste, mais aussi à titre de prévention pour contribuer à une sélection adéquate des candidats et pour accompagner en certains cas l'équipe des formateurs affrontés à des problèmes spécifiques de pédagogie et de formation.[52]

En tout cas, dans le choix des spécialistes il faut préférer une personne croyante connaissant bien la vie religieuse et ses dynamiques, à plus forte raison une personne consacrée.

L'usage de ces moyens, enfin, sera vraiment efficace s'il est modéré et non généralisé, parce qu'ils ne résolvent pas tous les problèmes et donc « ne sauraient se substituer à un authentique accompagnement spirituel ».[53]

Du « *JE* » au « *NOUS* »

39. Le respect pour la personne, recommandé par le Concile et par les documents consécutifs[54] a eu une influence positive sur la façon de mener la vie communautaire.

Mais dans le même temps, avec plus ou moins d'intensité suivant les différentes régions du monde, s'est répandue une vague d'individualisme.

[52] Cf. *PI* 43, 51, 63.
[53] *PI* 52.
[54] *PC* 14c; can. 618; *EE* 49.

Celui-ci a pris des formes diverses: le besoin de se mettre en avant, l'insistance excessive sur le bien-être personnel physique, psychique ou professionnel; la préférence pour le travail personnalisé ou pour celui qui met la personne en évidence et est « reconnu »; la priorité donnée aux aspirations personnelles et à la carrière; l'absence de souci des autres et de référence à la communauté.

Par ailleurs, il est nécessaire de chercher le juste équilibre, qui n'est pas toujours facile à trouver, entre le respect de la personne et le bien commun, entre les exigences et les besoins de chacun et ceux de la communauté, entre les charismes personnels et le projet apostolique communautaire. Et cela, en évitant à la fois l'individualisme qui désagrège et le communitarisme qui nivelle. La communauté religieuse est le lieu où se fait chaque jour le patient passage du « *je* » au « *nous* »: de ma tâche à la tâche confiée à la communauté, de la recherche de « mes intérêts » à celles des « intérêts du Christ ».

La communauté religieuse devient alors le lieu où l'on apprend chaque jour à faire sienne cette mentalité renouvelée, qui permet de vivre la communion fraternelle en profitant de la richesse des dons de chacun, et fait converger ces dons vers la fraternité et la commune responsabilité du projet apostolique.

40. La réalisation d'une telle « symphonie » communautaire et apostolique, a besoin de divers moyens:

a) Célébrer et rendre grâce ensemble pour le don commun de la vocation et de la mission, don qui transcende de beaucoup toute différence individuelle et culturelle. Promouvoir une attitude contemplative devant la sagesse de Dieu, qui a envoyé des frères ou sœurs à la communauté afin qu'ils soient un don les uns pour les autres. Le louer pour ce que chacun transmet de la présence et de la parole du Christ.

b) Cultiver le respect réciproque, qui accepte le cheminement lent des plus faibles sans étouffer l'épanouissement des personnalités plus riches. Un respect qui favorise la créativité, mais qui sache faire appel aussi à la responsabilité envers les autres et à la solidarité.

c) Orienter vers la mission commune: l'institut a sa mission à laquelle chacun doit collaborer suivant ses dons. Le cheminement de la personne consacrée consiste précisément à offrir progressivement au Seigneur tout ce qu'elle a et tout ce qu'elle est pour la mission de sa famille religieuse.

d) Rappeler que la mission apostolique est confiée en premier lieu à la communauté, et que souvent cela comporte la gestion des œuvres propres de l'Institut. Le don de soi à cet apostolat communautaire fait mûrir la personne consacrée et la fait progresser dans sa propre voie de sainteté.

e) Considérer que les religieux qui reçoivent dans l'obéissance des missions personnelles, doivent se regarder comme envoyés par la communauté. Celle-ci, à son tour, veillera à leur donner régulièrement les moyens de se mettre à jour, et à les intégrer dans la vérification des engagements apostoliques et communautaires.

Pendant le temps de la formation, il peut arriver qu'en dépit de la bonne volonté, il s'avère impossible d'harmoniser les dons personnels d'une personne consacrée avec la fraternité et la mission commune. Il y a lieu alors de se demander: « Les dons de Dieu à cette personne (...) travaillent-ils en faveur de l'unité et approfondissent-ils la communion? S'ils le font, ils peuvent être accueillis. Sinon peu importe si ces dons semblent bons en eux-mêmes ou s'ils apparaissent souhaitables à quelques membres, ils ne sont pas faits pour cet institut précis. Il n'est pas sage, en effet, de tolérer des orientations trop divergentes qui ne sauraient contribuer à l'unité de l'institut ».[55]

41. Ces dernier temps, les communautés comportant un petit nombre de membres sont en augmentation, surtout en raison de besoins apostoliques. Elles peuvent favoriser le développement de relations plus étroites entre les religieux, d'une prière partagée, et d'une prise en charge mutuelle plus fraternelle des responsabilités.[56]

Cependant il existe aussi des motifs discutables à l'existence de ces petites communautés, tels que les affinités de goûts ou de mentalité. Dans ce cas, il est facile que la communauté se ferme sur elle-même et puisse en arriver à sélectionner ses membres, en acceptant ou non un frère envoyé par les supérieurs. Une telle disposition est contraire à la nature même de la communauté religieuse et à sa fonction de signe. L'homogénéité basée sur le choix, non seulement entrave la mobilité apostolique, mais affaiblit la réalité spirituelle de la communauté et la prive de sa force de témoignage.

[55] *EE* 22; voir aussi *MR* 12.
[56] Cf. *ET* 40.

L'effort en vue d'une acceptation réciproque, le souci de surmonter les difficultés, qui caractérise les communautés hétérogènes, montre la transcendance du motif qui les a suscitées, c'est-à-dire « la puissance de Dieu qui se révèle dans la faiblesse de l'homme » (*2 Co* 12, 9). On est ensemble en communauté, non par choix mutuel, mais par choix du Seigneur.

42. Si la culture caractéristique de l'Occident porte facilement à un individualisme qui rend ardue la vie en commun, d'autres cultures peuvent au contraire porter au « communitarisme » qui rend difficile la mise en valeur de la personne humaine. Toutes les formes de culture doivent être évangélisées.

Les communautés religieuses qui, dans un processus de conversion, en arrivent à une vie fraternelle où la personne se met à la disposition des autres, et où le groupe favorise le progrès de la personne, sont signes de la force transformante de l'Evangile et de l'avènement du Royaume de Dieu.

Les instituts internationaux où vivent ensemble des membres de cultures différentes, peuvent contribuer à un échange de dons grâce auquel les membres s'enrichissent et s'amendent réciproquement, dans un commun effort pour vivre toujours plus intensément l'Evangile de la liberté personnelle et de la communion fraternelle.

Etre une communauté en formation permanente

43. Le renouveau communautaire a tiré de notables avantages de la formation permanente. Recommandée et exposée dans ses lignes fondamentales par le document *Potissimum Institutioni*,[57] celle-ci est considérée par tous les responsables d'instituts religieux comme d'une importance vitale pour l'avenir.

Malgré des incertitudes sur certains points (difficulté à réaliser une synthèse entre ses divers aspects, difficulté à sensibiliser tous les membres d'une communauté, exigences absorbantes de l'apostolat et juste équilibre entre les activités et la formation), la majorité des instituts a pris des initiatives tant au niveau central qu'au niveau local.

L'une des fins de ces initiatives est de former des communautés adultes, évangéliques, fraternelles, capables de poursuivre la formation perma-

[57] Cf. *PI* 66-69.

nente dans le quotidien. La communauté religieuse, en effet, est le lieu où les grandes orientations deviennent effectives, grâce à une patiente et tenace mise en œuvre quotidienne. Elle est le milieu naturel du processus de croissance, où chacun devient corresponsable de la croissance de l'autre. La communauté religieuse est en outre le lieu où, jour après jour, on s'aide à répondre, en personnes consacrées porteuses d'un même charisme, aux besoins des plus petits et aux défis de la société nouvelle.

Il n'est pas rare que, devant les problèmes à affronter, les réactions soient différentes, avec d'évidentes conséquences sur la vie communautaire. C'est pourquoi l'un des objectifs spécialement visés aujourd'hui est d'intégrer des personnes différentes par la formation et par les conceptions apostoliques, dans une même vie communautaire où les différences ne soient pas des occasions de conflit mais d'enrichissement réciproque.

Dans ce contexte diversifié et mouvant, le rôle unifiant des responsables des communautés devient toujours plus important. Il faut prévoir pour eux des moyens spécifiques de formation permanente, en vue de leur tâche d'animation de la vie fraternelle et apostolique de la communauté.

Sur la base de l'expérience de ces dernières années, deux aspects méritent ici une attention spéciale: la dimension communautaire des conseils évangéliques et le charisme.

44. *La dimension communautaire des conseils évangéliques*

La profession religieuse est expression du don de soi à Dieu et à l'Eglise, don vécu dans la communauté d'une famille religieuse. Le religieux n'est pas seulement un appelé, selon une vocation individuelle, mais c'est un « *convoqué* », c'est-à-dire un appelé ensemble avec d'autres, dont il *partage* l'existence quotidienne.

Il y a une convergence du « oui » à Dieu, qui unit les divers consacrés dans une même communauté de vie. Consacrés ensemble, unis dans le même oui, unis dans l'Esprit Saint, les religieux et les religieuses découvrent chaque jour que leur *suite* du Christ, obéissant, pauvre et chaste, est vécue dans la fraternité, comme l'ont fait les disciples qui suivaient Jésus au cours de son ministère. Unis au Christ, et donc appelés à être unis entre eux. Unis dans la mission de s'opposer de façon prophétique à l'idolâtrie du pouvoir, de l'avoir, du plaisir.[58]

[58] Cf. *RPH* 25.

Ainsi *l'obéissance* lie et unit les différentes volontés dans une même communauté fraternelle chargée d'une mission spécifique à accomplir dans l'Eglise.

L'obéissance est un oui au plan de Dieu qui a confié une tâche particulière à un groupe de personnes. Elle comporte un lien avec la mission, mais aussi avec la communauté qui doit réaliser son service ici et maintenant et ensemble; elle demande qu'on porte un clair regard de foi sur les supérieurs, qui « remplissent leur devoir de service et de guide »,[59] et doivent veiller à ce que le travail apostolique corresponde à la mission reçue. Et ainsi, en communion avec eux, on accomplit la volonté divine, la seule qui peut apporter le salut.

La pauvreté: le partage des biens — y compris spirituels — a été dès les origines un fondement de la communion fraternelle. La pauvreté de chacun des frères et sœurs, qui comporte un style de vie simple et austère, non seulement le libère des préoccupations inhérentes aux biens personnels, mais a toujours profité à la communauté qui pouvait ainsi se mettre plus efficacement au service de Dieu et des pauvres.

La pauvreté inclut la dimension économique. Disposer de l'argent comme si on en était propriétaire, pour soi-même ou pour sa famille, avoir un style de vie trop différent de celui des confrères et de la société pauvre dans laquelle on vit souvent, c'est blesser et affaiblir la vie fraternelle.

Mais la pauvreté est également « pauvreté en esprit ». L'humilité, la simplicité, la reconnaissance des dons des autres, l'appréciation des réalités évangéliques telles que « la vie cachée avec le Christ en Dieu », l'estime pour le sacrifice obscur, la mise en valeur des plus petits, le dévouement à des causes non rétribuées ou non reconnues... sont autant de conséquences de la profession de pauvreté qui ont valeur d'unité pour la vie fraternelle.

Une communauté de pauvres est en mesure d'être solidaire des pauvres et de manifester quel est le cœur de l'évangélisation, parce qu'elle révèle concrètement la force transformante des béatitudes.

Dans sa dimension communautaire, *la chasteté* consacrée, qui implique une grande pureté d'esprit, de cœur et de corps, donne une grande liberté pour aimer Dieu et tout ce qui lui appartient avec un cœur sans partage; en conséquence, elle suscite une totale disponibilité pour aimer et servir tous les hommes, leur rendant présent l'amour du Christ. Un tel amour

[59] *MR* 13.

n'est ni égoïste, ni exclusif, ni possessif, ni esclave de la passion, mais universel et désintéressé, libre et libérant, très nécessaire pour la mission; il doit être cultivé et il croît par le moyen de la vie fraternelle. Ainsi ceux qui vivent le célibat consacré « évoquent aux yeux de tous les fidèles cette admirable union, établie par Dieu et qui doit être pleinement manifestée dans le siècle futur, par laquelle l'Eglise a le Christ comme son unique époux ».[60]

Cette dimension communautaire des vœux évangéliques a besoin d'une attention continue et d'un approfondissement que procure justement la formation permanente.

45. *Le charisme*

Le charisme est le second aspect à privilégier dans la formation permanente pour favoriser la croissance de la vie fraternelle.

« La consécration religieuse établit une communion spéciale entre le religieux et Dieu et, en Lui, entre les membres d'un même institut (...). Son fondement est la communion établie dans le Christ sur l'unique charisme du fondateur ».[61] La référence au fondateur et au charisme vécu et communiqué par lui, puis gardé, approfondi et développé tout au long de la vie de l'institut,[62] apparaît comme une composante fondamentale pour l'unité de la communauté.

Vivre en communauté, en effet, c'est vivre tous ensemble la volonté de Dieu conformément au don charismatique que le fondateur ou la fondatrice a reçu de Dieu et a transmis à ses disciples et à ceux et celles qui leur ont succédé.

Le renouveau de ces dernières années, en remettant en lumière l'importance du charisme d'origine, et grâce à une riche réflexion théologique,[63] a favorisé l'unité de la communauté, perçue comme porteuse d'un même don de l'Esprit à partager avec les frères ou les sœurs, et capable d'enrichir l'Eglise « pour la vie du monde ». C'est pourquoi il est très profitable d'établir des programmes de formation, comportant des cycles d'étude et de réflexion priante sur le fondateur, le charisme et les constitutions.

[60] *PC* 12; cf. can. 607.
[61] *EE* 18; cf. *MR* 11-12.
[62] Cf. *MR* 11.
[63] Cf. *MR* 11-12; *EE* 11, 41.

Saisir en profondeur ce charisme conduit à une claire perception de l'identité de l'institut, qui facilite l'unité et la communion. De plus cela favorise une adaptation créative aux situations nouvelles, et ouvre des perspectives positives pour l'avenir d'un Institut.

L'absence de cette perception claire peut facilement engendrer l'incertitude au sujet des objectifs et une certaine vulnérabilité face aux conditionnements du milieu, aux courants culturels et même aux différents besoins apostoliques, outre une certaine incapacité à s'adapter et à se renouveler.

46. Il est donc nécessaire de cultiver soigneusement l'identité charismatique de l'institut afin d'éviter un « *généricisme* » qui constitue un véritable danger pour la vitalité de la communauté religieuse.

En effet on a signalé des situations qui, ces dernières années, ont blessé et en certains endroits blessent encore les communautés religieuses:

— la manière « généariciste » — c'est-à-dire sans tenir compte du charisme spécifique — de considérer certaines indications de l'Eglise particulière ou certaines suggestions provenant de spiritualités différentes;

— une façon de fréquenter tel ou tel mouvement d'Eglise qui expose le religieux au phénomène ambigu de la double identité;

— dans les indispensables et souvent fructueuses relations avec les laïcs, surtout avec les collaborateurs, une certaine identification à l'état de laïc: au lieu d'offrir le témoignage religieux comme un don fraternel, ferment d'authenticité chrétienne, on arrive à un mimétisme dans les façons de voir et d'agir, qui diminue l'impact de la consécration.

— une excessive complaisance envers les exigences de la famille, les idéaux de la nation, de la race, de la tribu, du groupe social, qui risque de faire dévier le charisme vers des positions ou des intérêts de partis.

Ce généricisme, qui réduit la vie religieuse à un plus petit commun dénominateur affadi, tend à effacer ce qu'a de beau et de fécond la multiplicité des charismes suscités par l'Esprit.

L'autorité au service de la fraternité

47. L'évolution de ces dernières années est généralement reconnue comme facteur de progrès dans la vie fraternelle. Le climat de la vie

commune s'est amélioré dans beaucoup de communautés: on a donné davantage de place à la participation active de tous, on est passé d'une vie en commun trop appuyée sur l'observance à une vie plus attentive aux besoins de chacun et plus soucieuse des réalités humaines. L'effort pour construire des communautés moins formalistes, moins autoritaires, plus fraternelles, plus ouvertes à la participation, est considéré comme l'un des fruits les plus évidents du renouveau de notre époque.

48. Ce développement positif a risqué, en certains endroits, d'être compromis par un sentiment de défiance vis-à-vis de l'autorité.

Le désir d'une communion plus profonde entre les membres, et la réaction compréhensible envers des structures ressenties comme trop autoritaires et rigides, ont conduit à ne plus saisir dans toute sa portée la mission de l'autorité. Certains ont fini même par la considérer comme non nécessaire pour la vie de la communauté, d'autres l'ont ramenée a un simple rôle de coordination des initiatives. Ainsi un certain nombre de communautés en sont venues à vivre sans responsable et à prendre collégialement toutes leurs décisions.

Tout cela porte en soi le danger, qui n'est pas seulement hypothétique, d'une sorte d'émiettement de la vie communautaire, qui tendra à privilégier les cheminements individuels et à obscurcir le rôle de l'autorité. Or ce rôle est nécessaire pour la croissance de la vie fraternelle dans la communauté, autant que pour le cheminement spirituel de la personne consacrée.

D'ailleurs les résultats de ce genre d'expériences amènent à une redécouverte progressive de la nécessité et du rôle d'une autorité personnelle, en continuité avec toute la tradition de la vie religieuse.

Le climat démocratique répandu un peu partout a favorisé une plus grande corresponsabilité et une meilleure participation de tous au processus de la décision, y compris à l'intérieur de la communauté religieuse. On ne peut oublier cependant que la fraternité n'est pas le fruit du seul effort humain, mais aussi et surtout un don de Dieu. Ce don est reçu dans l'obéissance à la Parole de Dieu et, dans la vie religieuse, il vient aussi par l'obéissance à l'autorité qui rappelle cette Parole et l'applique à chacune des situations, selon l'esprit de l'institut.

« Nous vous demandons, frères, d'avoir des égards pour ceux qui, parmi vous, se donnent de la peine pour vous diriger dans le Seigneur et pour vous reprendre; ayez pour eux la plus haute estime, avec amour en raison de leur travail » (*1 Th* 5, 12-13). La communauté chrétienne, en effet, n'est pas un collectif anonyme, mais dès le début elle est dotée de ses chefs, envers lesquels l'Apôtre demande qu'on ait considération, respect, charité.

Dans la communauté religieuse, si l'attention et le respect sont dus à l'autorité, c'est aussi en raison de la profession d'obéissance. Et cette autorité est mise au service de la fraternité, de sa construction, de la réalisation de ses finalités spirituelles et apostoliques.

49. L'aggiornamento a contribué à renouveler le visage de l'autorité pour la relier plus étroitement à ses racines évangéliques et la mettre au service du progrès spirituel de chacun et au service de l'édification de la vie fraternelle de la communauté.

Toute communauté a sa mission propre à remplir. Le service de l'autorité s'adresse à une communauté investie d'une mission particulière, reçue et spécifiée par l'institut et son charisme. Comme il y a des missions variées, il y a différents genres de communautés, donc différentes façons, définies par le droit propre, de concevoir et d'exercer l'autorité. L'autorité selon l'Evangile est toujours un service.

50. Quelques aspects de l'autorité ont été privilégiés dans la réflexion récente:

a) *Une autorité spirituelle*

L'autorité favorise et soutient la consécration au service total de Dieu: elle peut être regardée comme « servante des serviteurs de Dieu ». Elle a le devoir primordial de construire, avec les frères et les sœurs, des « communautés fraternelles en lesquelles Dieu soit cherché et aimé avant tout ».[64] Il est donc d'abord nécessaire que cette autorité soit exercée par une personne spirituelle, convaincue du primat du spirituel pour la vie personnelle et la construction de la vie fraternelle, consciente que plus l'amour de Dieu croît dans les cœurs, plus les cœurs s'unissent entre eux.

Sa tâche prioritaire sera donc l'animation spirituelle, communautaire et apostolique de sa communauté.

b) *Une autorité qui réalise l'unité*

Pour réaliser l'unité, l'autorité se soucie de créer le climat favorable au partage et à la corresponsabilité, suscite le concours de tous aux intérêts

[64] Can. 619.

de tous, elle encourage les frères et sœurs à prendre leurs responsabilités et sait respecter celles-ci. « Pour promouvoir leur obéissance volontaire dans le respect de la personne humaine »,[65] elle les écoute volontiers et favorise ainsi leur coopération au bien de l'institut et de l'Eglise,[66] elle pratique le dialogue et propose des moments opportuns de rencontre. Elle sait inspirer courage et espérance dans les moments difficiles, et regarder au loin pour indiquer de nouveaux horizons à la mission. Elle cherche à maintenir l'équilibre entre les différents aspects de la vie communautaire, entre prière et travail, apostolat et formation, tâches à accomplir et repos.

L'autorité du supérieur et de la supérieure s'emploie à ce que la maison religieuse ne soit pas simplement un lieu de résidence, ni une juxtaposition de sujets conduisant chacun son histoire individuelle, mais une « vraie communauté fraternelle dans le Christ ».[67]

c) *Une autorité qui sait prendre la décision finale et veille à sa réalisation*

Le *discernement communautaire* est une démarche très utile, même s'il n'est ni facile ni automatique, car il suppose compétence humaine, sagesse spirituelle et détachement personnel. Là où il est pratiqué avec foi et sérieux, il peut offrir à l'autorité les meilleures conditions pour prendre les décisions que réclame le bien de la vie fraternelle et de la mission.

La décision une fois prise selon les modalités fixées par le droit propre, il faut, de la part du supérieur, constance et force pour que ce qui a été décidé ne reste pas lettre morte.

51. Il est en outre nécessaire que le droit propre soit le plus précis possible quand il détermine les compétences respectives de la communauté, des différents conseils, des responsables des divers secteurs, et du supérieur. Le manque de clarté en ce domaine est source de confusion et occasion de conflits.

De même, les « projets communautaires », qui favorisent la participation à la vie communautaire et à la mission dans les différents contextes, devraient avoir soin de bien définir le rôle et la compétence de l'autorité, dans le respect des constitutions.

[65] Can. 618.
[66] Cf. *ibid.*
[67] Can. 619.

52. Une communauté fraternelle et unie est appelée à être toujours davantage un élément important et éloquent de la contre-culture de l'Evangile, sel de la terre et lumière du monde.

Par exemple, dans la société occidentale menacée par l'individualisme, la communauté religieuse est appelée à être un fort témoignage prophétique de la possibilité de réaliser dans le Christ la fraternité et la solidarité. En revanche, dans les cultures menacées par l'autoritarisme ou par le « communitarisme », la communauté religieuse est appelée à être un signe de respect et de promotion de la personne humaine, un signe d'exercice de l'autorité en conformité avec la volonté de Dieu.

La communauté religieuse se doit d'assumer la culture de l'endroit où elle est implantée, mais elle est appelée aussi à purifier et à élever cette culture, grâce au sel et à la lumière de l'Evangile. Elle présentera, dans ses fraternités authentiques, une synthèse concrète de ce qu'est non seulement une évangélisation de la culture mais aussi une inculturation évangélisatrice ou une évangélisation inculturée.

53. On ne peut oublier enfin que dans toute cette question délicate, complexe, et souvent occasion de souffrance, la foi joue un rôle décisif, elle qui permet de comprendre le mystère salvifique de l'obéissance.[68] De la désobéissance d'un homme est venue la désagrégation de la famille humaine, mais de l'obéissance de l'Homme nouveau est née sa reconstruction (cf. *Rm* 5, 19): ainsi l'attitude obéissante sera toujours une force indispensable pour toute vie de famille.

La vie religieuse a sans cesse vécu de cette conviction de foi et, aujourd'hui encore, elle est appelée à la vivre courageusement, pour ne pas courir en vain dans la recherche de rapports fraternels, et pour être une réalité évangéliquement signifiante dans l'Eglise et dans la société.

La fraternité comme signe

54. Les rapports entre vie fraternelle et activité apostolique, en particulier dans les instituts voués aux œuvres d'apostolat, n'ont pas toujours été clairs et ont souvent provoqué des tensions personnelles et communautaires. Pour quelques-uns, la vie de communauté est ressentie comme un

[68] Cf. *PC* 14; *EE* 49.

obstacle à la mission, presque une perte de temps dans des questions plutôt secondaires. Il est nécessaire de rappeler à tous que la communion fraternelle en tant que telle est déjà un apostolat, c'est-à-dire qu'elle contribue directement à l'œuvre de l'évangélisation. Le signe par excellence laissé par le Seigneur est celui de la fraternité vécue: « A ceci tous reconnaîtront que vous êtes mes disciples: si vous avez de l'amour les uns pour les autres » (*Jn* 13, 35).

En même temps qu'il a donné à ses disciples la mission de prêcher l'Evangile à toute créature (cf. *Mt* 28, 19-20), le Seigneur les a envoyés pour vivre unis, « afin que le monde croie » que Jésus est l'envoyé du Père auquel on doit donner le plein assentiment de la foi (cf. *Jn* 17, 21). Le signe de la fraternité est donc de très grande importance, parce qu'il montre l'origine divine du message chrétien et qu'il possède la force d'ouvrir les cœurs à la foi. C'est pourquoi « toute la fécondité de la vie religieuse dépend de la qualité de la vie fraternelle menée en commun ».[69]

55. Dans la mesure où la communauté religieuse cultive la vie fraternelle, elle maintient présent, sous une forme permanente et visible, ce signe dont l'Eglise a surtout besoin dans sa tâche de nouvelle évangélisation.

C'est pourquoi l'Eglise prend tellement à cœur la vie d'amour fraternel des communautés religieuses: plus intense est cet amour, plus grande est la crédibilité du message annoncé, et plus perceptible est le cœur de l'Eglise, sacrement de l'union des hommes avec Dieu et entre eux.[70] Sans être le tout de la mission de la communauté religieuse, la vie fraternelle en est un élément essentiel, aussi important que l'action apostolique.

Il est donc impossible d'invoquer la nécessité du service apostolique pour admettre ou justifier le manque de vie communautaire. L'activité des religieux doit être une activité de personnes qui vivent en commun et remplissent leur action d'esprit communautaire, qui tendent à diffuser l'esprit fraternel par la parole, l'action et l'exemple.

Des situations particulières, qui seront traitées plus loin, peuvent demander des adaptations; mais celles-ci ne doivent pas être telles qu'elles détachent le religieux de la vie de communion et de l'unité d'esprit avec sa propre communauté.

[69] JEAN-PAUL II à la *Plenaria* de la CIVCSVA (le 20.11.1992), in *OR* 21.11.1992, n. 3.
[70] Cf. *LG* 1.

56. La communauté religieuse, consciente de ses responsabilités vis-à-vis de la grande communauté qu'est l'Eglise, devient également un signe, et de la possibilité de vivre la fraternité chrétienne, et du prix à payer pour la construction de toute forme de vie fraternelle.

En outre, les diverses sociétés de notre planète, traversées par des passions et des intérêts opposés qui les divisent, sont désireuses d'unité, mais incertaines quant aux chemins à prendre pour y arriver: la présence de communautés où se rencontrent comme frères et comme sœurs des personnes d'âge, de langue, de culture différentes, demeurant unies en dépit des conflits et difficultés d'une vie menée en commun, est signe d'une réalité plus élevée et appel à regarder plus haut.

« Les communautés religieuses, qui annoncent par leur vie la joie et la valeur humaine et surnaturelle de la fraternité chrétienne, disent, avec l'éloquence des faits, la force transformatrice de la Bonne Nouvelle ».[71]

« Et par-dessus tout, revêtez l'amour: c'est le lien parfait ». (*Col* 3, 14), l'amour comme l'a enseigné et vécu Jésus Christ, et comme il nous est communiqué par son Esprit. Cet amour qui unit incite à communiquer aux autres l'expérience de la communion avec Dieu et avec les frères. C'est-à-dire qu'il suscite les apôtres en poussant les communautés sur la voie de la mission, qu'elles soient contemplatives ou chargées de l'annonce de la Parole ou des ministères de charité. L'amour de Dieu veut envahir le monde: la communauté fraternelle devient missionnaire de cet amour, et signe prophétique de sa force unifiante.

57. La qualité de la vie fraternelle influe enfin grandement sur la persévérance de chacun des religieux.

De même que la qualité médiocre de la vie fraternelle fut souvent alléguée comme motif de nombreux abandons, de même la fraternité vraiment vécue a constitué et constitue toujours un soutien solide pour la persévérance de beaucoup.

Dans une communauté fraternelle, chacun se sent corresponsable de la fidélité de l'autre; chacun contribue à ce que règne un climat serein de partage de vie, de compréhension mutuelle, d'aide réciproque; chacun est attentif aux moments de fatigue, de souffrance, d'isolement, de démotivation du frère ou de la sœur; chacun offre son soutien à celui qu'attristent les difficultés ou les épreuves.

[71] JEAN-PAUL II à la *Plenaria* de la CIVCSVA (le 20.11.1992), n. 4.

La communauté religieuse, en soutenant la persévérance de ses membres, acquiert alors une force de signe de l'éternelle fidélité de Dieu, et donc de soutien pour la foi et la fidélité des chrétiens immergés dans les vicissitudes de notre monde, qui semble connaître de moins en moins les voies de la fidélité.

Chapitre III

LA COMMUNAUTÉ RELIGIEUSE, LIEU ET SUJET DE LA MISSION

58. Comme l'Esprit Saint a oint l'Eglise au Cénacle pour l'envoyer évangéliser le monde, ainsi chaque communauté religieuse, authentique communauté animée par l'Esprit du Ressuscité, est apostolique selon sa nature propre.

« La communion engendre la communion et se présente essentiellement comme communion missionnaire... La communion et la mission sont profondément unies entre elles, elles se compénètrent et s'impliquent mutuellement, au point que la communion représente la source et tout à la fois le fruit de la mission: la communion est missionnaire et la mission est pour la communion ».[72]

La communauté religieuse, y compris celle qui est spécifiquement contemplative, n'est pas repliée sur elle-même, mais se fait annonce, diaconie et témoignage prophétique. Le Ressuscité qui vit en elle, en lui communiquant son propre Esprit, la rend témoin de la résurrection.

Communauté religieuse et mission

Avant de réfléchir sur certaines situations particulières que doit affronter la communauté religieuse aujourd'hui dans les divers contextes du monde pour être fidèle à sa mission propre, il y a lieu de considérer la relation spécifique entre les différents modèles de communauté religieuse et la mission qu'elles sont appelées à remplir.

59. *a)* Le Concile Vatican II a affirmé: « Les religieux doivent tendre de tout leur effort à ce que, par eux, de plus en plus parfaitement et réellement, l'Eglise manifeste le Christ aux fidèles comme aux infidèles: soit dans sa contemplation sur la montagne, soit dans son annonce du

[72] *ChL* 32; cf. *PO* 2.

royaume de Dieu aux foules, soit encore quand il guérit les malades et les infirmes et convertit les pécheurs à une vie féconde, quand il bénit les enfants et répand sur tous ses bienfaits, accomplissant en tout cela, dans l'obéissance, la volonté du Père qui l'a envoyé ».[73]

L'Esprit, par la participation aux divers aspects de la mission du Christ, fait surgir des familles religieuses caractérisées par différentes missions et donc par divers genres de communautés.

b) La communauté intégralement ordonnée à la contemplation (qui manifeste le Christ sur la montagne) est centrée sur la double communion avec Dieu et entre ses membres. Sa fécondité apostolique est réelle, mais reste en grande partie cachée dans le mystère. La communauté religieuse dite « apostolique » (qui représente le Christ dans la foule) est vouée à un service actif du prochain, service caractérisé par un charisme particulier.

Parmi les communautés apostoliques, certaines mettent davantage l'accent sur la vie commune, en sorte que l'apostolat dépende de la possibilité d'être ensemble, d'autres sont délibérément orientées vers la mission, et leur style de vie communautaire dépend de leur genre de mission. Les instituts clairement destinés à des formes spécifiques de service apostolique accentuent la priorité de la famille religieuse entière, considérée comme un seul corps apostolique et comme une grande communauté, à laquelle l'Esprit a donné une mission à accomplir dans l'Eglise. La communion qui anime et réunit la grande famille est vécue concrètement dans chacune des communautés locales, à qui est confiée la réalisation de la mission selon les différents besoins.

On trouve alors différents types de communautés religieuses, hérités des siècles passés, comme la communauté religieuse monastique, la communauté religieuse conventuelle et la communauté active ou « diaconale ».

« La vie commune vécue en communauté » n'a donc pas la même signification pour tous les religieux. Moines et moniales, religieux et religieuses conventuels ou de vie active conservent leurs légitimes différences dans la manière de comprendre et de vivre la communauté. Cette diversité se reflète dans les constitutions, qui décrivent la physionomie de la communauté en même temps que la physionomie de l'institut.

[73] *LG* 46a.

c) Il est généralement reconnu, spécialement pour les communautés religieuses dédiées aux œuvres d'apostolat, qu'il est assez difficile de trouver dans la pratique quotidienne l'équilibre entre communauté et engagement apostolique. S'il est dangereux d'opposer ces deux aspects, il n'est pourtant pas facile de les harmoniser. C'est là une des tensions fécondes de la vie religieuse, qui a le devoir de faire croître simultanément le *disciple* qui doit vivre avec Jésus et avec le groupe de ceux qui marchent à sa suite, et l'*apôtre,* qui doit participer à la mission du Seigneur.

d) La diversité des besoins apostoliques, ces dernières années, a souvent amené a faire coexister, dans le même institut, des communautés notablement différenciées: de grandes communautés assez structurées et de petites communautés plus souples, qui ne perdent pas pour autant l'authentique physionomie communautaire de la vie religieuse.

Tout cela influence la vie de l'institut et sa physionomie qui n'est pas uniforme comme auparavant, mais plus diversifiée, comportant des styles différents de vie communautaire.

e) Dans certains instituts la tendance à insister plus sur la mission que sur la communauté, et à privilégier la diversité au lieu de l'unité, a profondément influencé la vie en commun, au point qu'elle devienne parfois une sorte d'option plutôt qu'une partie intégrante de la vie religieuse.

Les conséquences qui à coup sûr ne sont pas positives, portent à s'interroger sérieusement sur l'opportunité de continuer dans cette voie; elles conduisent plutôt à prendre le chemin de la redécouverte du lien intime entre communauté et mission, pour dépasser de manière créative les vues et les actions unilatérales qui appauvrissent toujours la riche réalité de la vie religieuse.

Dans l'Église particulière

60. Par sa présence missionnaire, la communauté religieuse se trouve insérée dans une Eglise particulière à laquelle elle apporte la richesse de sa consécration, de sa vie fraternelle et de son charisme.

Par cette seule présence, non seulement elle porte en elle même la richesse de la vie chrétienne, mais elle constitue aussi une annonce particulièrement efficace du message chrétien. Elle est, peut-on dire, une prédication vivante et continue. Cet apport objectif aiguise évidemment la responsabilité des religieux; il les engage à être fidèles à cette première mission qui est la leur, en corrigeant et en éliminant tout ce qui peut atténuer ou affaiblir l'effet attrayant de leur image; de plus, il rend leur présence dans l'Eglise particulière extrêmement souhaitée et précieuse, avant toute considération ultérieure.

La charité étant le meilleur de tous les charismes (cf. *1 Co* 13, 13), la communauté religieuse, partie vivante de l'Eglise, l'enrichit d'abord de son amour. La communauté religieuse aime l'Eglise universelle, mais aussi cette Eglise particulière dans laquelle elle est insérée, parce que c'est dans l'Eglise et comme Eglise qu'elle se sent en contact avec la communion de la Trinité bienheureuse et béatifiante, source de tous les biens. Et elle devient ainsi une manifestation privilégiée de la nature intime de cette Eglise.

La communauté religieuse aime son Eglise particulière, l'enrichissant de ses charismes et l'ouvrant à une dimension plus universelle. Les rapports délicats entre les nécessités pastorales de l'Eglise particulière et la spécificité du charisme de la communauté religieuse ont été traités dans le document *Mutuae Relationes* qui, avec ses indications théologiques et pastorales, a fourni une importante contribution en vue de leur collaboration plus cordiale et plus intense. Le moment est venu de reprendre ce document pour donner une nouvelle impulsion à l'esprit de vraie communion entre la communauté religieuse et l'Eglise locale.

Les difficultés croissantes de la mission, et celles qui résultent du manque de personnel, peuvent pousser à l'isolement aussi bien la communauté religieuse que l'Eglise particulière, ce qui, certainement, ne favorise ni la compréhension ni la collaboration réciproques.

Ainsi d'un côté la communauté religieuse risque d'être présente dans l'Eglise particulière sans lien organique avec la vie et la pastorale de celle-ci; de l'autre on tend à réduire la vie religieuse aux seuls travaux pastoraux. Ou encore, si la vie religieuse cherche à souligner avec toujours plus de force son identité charismatique, l'Eglise particulière sollicite souvent d'une manière pressante et insistante, des énergies à insérer dans la pastorale diocésaine ou paroissiale. *Mutuae Relationes* demande d'éviter l'isolement et l'indépendance de la communauté religieuse vis-à-vis de l'Eglise particulière, autant que son absorption de fait dans les limites de cette Eglise.

De même que la communauté religieuse ne peut pas agir indépendamment ou en concurrence, moins encore en opposition avec les directives et la pastorale de l'Eglise particulière, de même celle-ci ne peut pas disposer comme il lui plaît, selon ses besoins, de la communauté religieuse ou de certains de ses membres.

Il est nécessaire de rappeler que la prise en considération insuffisante du charisme d'une communauté religieuse n'est profitable ni à l'Eglise particulière, ni à la communauté religieuse elle-même. C'est seulement si elle a une identité charismatique précise qu'une communauté religieuse peut s'insérer dans la pastorale d'ensemble sans se dénaturer, en l'enrichissant au contraire du don qu'elle a reçu.

Il ne faut pas oublier que tout charisme naît dans l'Eglise et pour le monde, qu'il doit être sans cesse ramené à ses origines et à sa finalité, et qu'il est vivant dans la mesure où il leur est fidèle.

L'Eglise et le monde offrent l'occasion d'interpréter le charisme, ils le sollicitent et l'incitent à une actualisation et à une vitalité toujours plus grandes. Charisme et Eglise particulière ne sont pas faits pour s'opposer, mais pour se soutenir et se compléter, surtout en ce moment où surgit plus d'un problème quant à l'actualisation du charisme et à son insertion dans une réalité qui a changé.

Beaucoup d'incompréhensions naissent d'une insuffisante connaissance réciproque de l'Eglise particulière et de la vie religieuse, et d'une insuffisante connaissance des devoirs de l'Evêque à l'égard de celle-ci.

Il est vivement recommandé de veiller à ce que soit inclus un cours spécifique de théologie de la vie consacrée dans les séminaires diocésains, où on l'étudiera dans ses aspects dogmatiques, juridiques et pastoraux. De même, on veillera à ce que les religieux reçoivent une bonne formation théologique sur l'Eglise particulière.[74]

Mais surtout, une communauté religieuse fraternelle sentira le devoir de développer ce climat de communion qui aide la communauté chrétienne tout entière à se sentir la « Famille des fils de Dieu ».

61. *La paroisse*

Il s'avère difficile en certains cas de coordonner vie paroissiale et vie communautaire.

Dans certaines régions, pour les religieux prêtres, la difficulté à mener la vie de communauté en exerçant le ministère paroissial crée bien des ten-

[74] Cf. *MR* 30 b, 47.

sions. La vaste tâche de la pastorale paroissiale est accomplie parfois au détriment du charisme de l'institut et de la vie communautaire. Et cela jusqu'à faire perdre aux fidèles et au clergé séculier, et aux religieux eux-mêmes, la perception du caractère spécifique de la vie religieuse.

La nécessité et l'urgence des tâches pastorales ne doivent pas faire oublier que le meilleur service de la communauté religieuse à l'Eglise est d'être fidèle à son charisme. Il faudrait tenir compte de cela, quand il s'agit d'accepter et de prendre la responsabilité d'une paroisse: il faudrait privilégier les paroisses qui permettent de vivre en communauté et d'exprimer le charisme propre.

La communauté religieuse féminine, souvent sollicitée de participer plus directement à la pastorale paroissiale, expérimente de semblables difficultés. Il convient de le redire, l'insertion des religieuses sera d'autant plus fructueuse que leur communauté pourra mieux manifester son caractère charismatique.[75] Ceci pourra être d'un grand profit, tant pour la communauté religieuse que pour la pastorale elle-même, dans laquelle les religieuses sont normalement bien acceptées et appréciées.

62. *Les mouvements ecclésiaux*

Les mouvements ecclésiaux, compris au sens le plus large du mot, sont dotés d'une spiritualité robuste et d'une grande vitalité apostolique. Ils ont attiré l'attention de certains religieux qui s'y sont engagés et qui en retirent des fruits de renouvellement spirituel, de dévouement apostolique et de réveil de leur vocation. Mais ils ont parfois introduit la division dans la communauté religieuse. Il est opportun alors d'observer ce qui suit:

a) Certains mouvements sont simplement des mouvements d'animation; d'autres, au contraire, ont des projets apostoliques qui peuvent être incompatibles avec ceux de la communauté religieuse.

De même, le degré d'engagement des personnes consacrées dans les mouvements est variable: certaines y sont simplement présentes, d'autres y participent de façon occasionnelle, d'autres en sont membres stables, mais en pleine harmonie avec leur propre communauté et leur propre spiritualité.

Ceux qui par contre manifestent une appartenance prioritaire au mouvement et un éloignement psychologique vis-à-vis de leur institut, ceux-là

[75] *MR* 49-50.

font problème, parce qu'ils vivent intérieurement divisés. Ils demeurent dans la communauté, mais vivent selon les plans pastoraux et les directives du mouvement.

Il convient donc de faire un discernement sérieux entre mouvement et mouvement, engagement et engagement du religieux.

b) Les mouvements peuvent constituer un défi fécond pour la communauté religieuse, pour son tonus spirituel, pour la qualité de sa prière, le mordant de ses initiatives apostoliques, sa fidélité à l'Eglise, l'intensité de sa vie fraternelle. La communauté religieuse devrait être prête à rencontrer les mouvements, dans une attitude de connaissance réciproque, de dialogue et d'échange des dons.

Par ailleurs la grande tradition spirituelle, ascétique et mystique, de la vie religieuse et de l'institut religieux peut aussi être utile aux jeunes mouvements.

c) Le problème fondamental dans la relation avec les mouvements reste l'identité de la personne consacrée: si celle-ci est solide, la relation sera fructueuse de part et d'autre.

Aux religieux et religieuses qui semblent vivre davantage dans et pour le mouvement que dans et pour la communauté religieuse, il convient de rappeler ce que déclare *Potissimum institutioni*: «Un institut a une cohérence interne qu'il reçoit de sa nature, de son but, de son esprit, de son caractère et de ses traditions. Tout ce patrimoine constitue l'axe autour duquel se maintient à la fois l'identité et l'unité de l'institut lui- même et l'unité de vie de chacun de ses membres. C'est un don de l'Esprit à l'Eglise qui ne peut souffrir aucune interférence, ni aucun mélange. Le dialogue et le partage au sein de l'Eglise supposent que chacun ait bien conscience de ce qu'il est.

Un candidat à la vie religieuse (...) ne peut relever en même temps d'un responsable extérieur à l'institut auquel il appartient (...) et des supérieurs de l'institut.

Ces exigences demeurent au-delà de la profession religieuse, afin d'écarter tout phénomène de pluri-appartenance, au plan de la vie personnelle du religieux et au plan de sa mission ».[76]

La participation à un mouvement sera positive pour le religieux et la religieuse, si elle renforce leur identité spécifique.

[76] *PI* 93.

63. *Insertion dans les milieux populaires*

Avec tant de frères dans la foi, les membres des communautés religieuses ont été parmi les premiers à aller à la rencontre des pauvretés matérielles et spirituelles de leur temps, sous des formes sans cesse renouvelées.

La pauvreté a été, ces dernier temps, l'un des thèmes qui ont le plus passionné et touché le cœur des religieux. La vie religieuse s'est demandé avec sérieux comment se rendre disponible pour « évangéliser les pauvres » (*evangelizare pauperibus*). Mais aussi comment « être évangélisé par les pauvres » (*evangelizari a pauperibus*), comment être en mesure de se laisser évangéliser au contact du monde des pauvres.

Dans cette grande mobilisation, où les religieux ont choisi d'être « tous pour les pauvres », « beaucoup avec les pauvres », « certains comme les pauvres », il convient de signaler ici quelques-unes des réalisations de ceux qui veulent « être comme les pauvres ».

Face à l'appauvrissement de grandes couches de la population, surtout dans les zones abandonnées à la périphérie des métropoles, ou dans les zones rurales oubliées, des « communautés religieuses d'insertion » se sont constituées. Elles sont une des expressions de l'option évangélique préférentielle et solidaire pour les pauvres, afin de les accompagner dans leur processus de libération intégrale. Mais elles sont aussi le fruit du désir de découvrir le Christ pauvre dans le frère marginalisé afin de Le servir et de se conformer à Lui.

a) « L'insertion » comme idéal de vie religieuse se développe, dans le contexte du mouvement de foi et de solidarité des communautés religieuses envers les plus pauvres.

Cette réalité ne peut que susciter l'admiration, pour la somme de dévouement personnel et pour les grands sacrifices qu'elle comporte, pour un amour des pauvres qui porte à partager leur réelle et dure pauvreté, pour l'effort en vue de rendre l'Evangile présent dans des couches de population sans espérance, afin de les rapprocher de la Parole de Dieu et de leur faire sentir qu'ils sont une part vivante de l'Eglise.[77] Souvent ces communautés se trouvent dans des lieux fortement marqués par un climat

[77] Cf. *SD* 85.

de violence qui engendre l'insécurité, parfois même la persécution jusqu'au péril de la vie. Le courage de ces religieux et religieuses est grand, et demeure un clair témoignage de l'espérance qu'il est possible de vivre en frères, malgré toutes les situations de souffrance et d'injustice.

Envoyées aux avant-postes de la mission, témoins parfois de la créativité apostolique des fondateurs, ces communautés religieuses doivent pouvoir compter sur la sympathie et la prière fraternelle des autres membres de l'institut, et sur la sollicitude particulière des supérieurs.[78]

b) Ces communautés ne doivent pas être abandonnées à elles-mêmes: il faut au contraire les aider, afin qu'elles parviennent à mener la vie communautaire, c'est-à-dire qu'elles aient des espaces pour la prière et pour des échanges fraternels; qu'elles ne soient pas conduites à relativiser l'originalité du charisme de leur institut au nom d'un service indistinct des pauvres; et pour que leur témoignage évangélique ne soit pas altéré par des interprétations ou des instrumentalisations partisanes.[79]

Les supérieurs auront soin de choisir les personnes adaptées et de préparer ces communautés, en sorte que soit assurée la liaison avec les autres communautés de l'institut, et que soit garantie leur durée.

c) Il faut louer de même les autres communautés religieuses qui s'intéressent de manière active aux pauvres, dans les formes traditionnelles ou dans des formes nouvelles adaptées aux nouvelles pauvretés, ou par la sensibilisation de tous les milieux aux problèmes de la pauvreté, suscitant chez les laïcs la disponibilité au service, les vocations à l'engagement social et politique, l'organisation de secours, le volontariat.

Tout cela atteste que, dans l'Eglise, la foi est vive et la charité agissante vis-à-vis du Christ présent dans le pauvre: « Tout ce que vous avez fait à l'un de ces petits, c'est à moi que vous l'avez fait » (*Mt* 25, 40).

Là où l'insertion parmi les pauvres est devenue, pour les pauvres et pour la communauté elle-même, une vraie expérience de Dieu, on a vu combien il est vrai d'affirmer que les pauvres sont évangélisés et que les pauvres évangélisent.

[78] Cf. *RPH* 6; *EN* 69; *SD* 92.
[79] Cf. *PI* 28.

64. *Petites communautés*

a) D'autres réalités sociales ont influé sur les communautés. Dans certaines régions économiquement plus développées, l'Etat a étendu son action dans les domaines de l'enseignement, de la santé, de l'assistance, souvent de telle façon qu'aucune place n'est laissée à d'autres intervenants, parmi lesquels les communautés religieuses. D'autre part, la diminution du nombre des religieux et religieuses, et ici et là une vision incomplète de la présence des catholiques dans l'action sociale, comprise plus comme une suppléance que comme une manifestation originale de charité chrétienne, ont rendu difficile la gestion d'œuvres complexes.

D'où l'abandon progressif des œuvres traditionnelles, depuis longtemps régies par des communautés importantes et homogènes, et la multiplication de petites communautés rendant des services d'un genre nouveau, le plus souvent en harmonie avec le charisme de l'institut.

b) Les petites communautés se sont multipliées également par choix délibéré de certains instituts, dans l'intention de favoriser l'union fraternelle et la collaboration par des relations plus étroites entre les personnes, et par une répartition plus large des responsabilités.

De telles communautés, comme le reconnaît *Evangelica Testificatio*,[80] sont certainement possibles, même si elles se révèlent plus exigeantes pour leurs membres.

c) Les petites communautés, souvent établies en étroit contact avec la vie de tous les jours et avec les problèmes des gens, mais aussi plus exposées à l'influence de la mentalité sécularisée, ont le grand devoir d'être visiblement des lieux de joyeuse fraternité, de dévouement généreux et d'espérance transcendante.

Il est donc nécessaire qu'elles se donnent un projet de vie solide, souple mais comportant des obligations, approuvé par l'autorité compétente, afin d'assurer à l'apostolat sa dimension communautaire. Ce programme sera adapté aux personnes et aux exigences de la mission, de façon à favoriser l'équilibre entre prière et activité, entre moments d'intimité communautaire et travail apostolique. En outre il prévoira des rencontres périodiques avec d'autres communautés du même institut, pour éviter le danger de l'isolement et de la marginalisation vis-à-vis de la grande communauté de l'institut.

[80] Cf. *ET* 40.

d) Normalement il n'est pas recommandé qu'un institut soit constitué uniquement de petites communautés, même si celles-ci peuvent présenter des avantages. Les communautés plus nombreuses sont nécessaires. Elles peuvent offrir à l'institut entier aussi bien qu'aux petites communautés des services appréciables, par exemple, cultiver avec plus d'intensité et de richesse la vie de prière et les célébrations, être des lieux privilégiés pour l'étude et la réflexion, offrir la possibilité de retraite et de repos aux membres qui travaillent en des territoires plus difficiles de la mission évangélisatrice.

Cet échange d'une communauté à l'autre est rendu fécond par un climat de bienveillance et d'accueil.

Par-dessus tout, que toutes les communautés soient reconnaissables par leur fraternité, leur simplicité de vie, l'accomplissement de la mission au nom de la communauté, la fidélité tenace au charisme de l'institut, la constante diffusion de « la bonne odeur du Christ » (*2 Co* 2, 15). A l'homme égaré et divisé de la société actuelle, elles indiqueront ainsi, dans les situations les plus diverses, les « chemins de la paix ».

65. *Religieux et religieuses qui vivent seuls*

Une réalité qu'on rencontre quelquefois est celle des religieux et religieuses qui vivent seuls. La vie commune dans une maison de l'institut est essentielle à la vie religieuse. « Les religieux doivent habiter leur propre maison religieuse, en observant la vie commune. Ils ne doivent pas vivre seuls sans motifs sérieux, surtout si une communauté de leur institut se trouve dans le voisinage ».[81]

Il y a cependant des exceptions, qui doivent être évaluées et peuvent être autorisées par le supérieur,[82] pour des motifs d'apostolat au nom de l'institut (par exemple, des engagements requis par l'Eglise, des missions extraordinaires, de grandes distances en territoires de mission, la réduction progressive d'une communauté à un seul religieux dans une œuvre de l'institut), pour des motifs de santé ou d'étude.

Il appartient aux Supérieurs d'entretenir de fréquents contacts avec les confrères qui vivent hors communauté. Et ceux-ci ont la responsabilité d'entretenir en eux-mêmes le sentiment de l'appartenance à l'institut et de

[81] *EE* III, 12.
[82] Cf. can. 665 § 1.

la communion avec ses membres, en cherchant tous les moyens aptes à favoriser le raffermissement des liens fraternels. A cette fin, on créera des « temps forts » consacrés à vivre ensemble; on organisera des rencontres périodiques avec les autres religieux, pour la formation, le dialogue fraternel, la vérification et la prière, et pour respirer un air de famille. Où qu'elle se trouve, la personne qui appartient à un institut doit être porteuse du charisme de sa famille religieuse.

Mais le religieux « seul » n'est jamais un idéal. La règle est l'insertion dans une communauté fraternelle: c'est à cette vie menée en commun que la personne s'est consacrée, c'est dans ce genre de vie qu'elle accomplit normalement son apostolat, et elle revient à cette vie par le cœur et par la présence, lorsqu'elle doit par nécessité vivre au loin durant un temps plus ou moins long.

a) Les exigences d'une même œuvre apostolique, par exemple diocésaine, ont porté différents instituts à envoyer un de leurs membres collaborer dans une équipe de travail intercongrégationnelle. Il existe des expériences positives de religieuses qui collaborent au service de la même œuvre dans une localité où il n'y a pas de communauté de leur institut.

Plutôt que de vivre seules, elles vivent ensemble dans une même maison, prient en commun, ont des réunions pour réfléchir sur la Parole de Dieu, prennent ensemble leurs repas, se partagent les travaux domestiques, etc. Bien que ce type de « vie communautaire » n'ait pas la prétention de remplacer la communication vivante de chacune avec son institut, il peut être avantageux pour l'œuvre et pour les religieuses elles-mêmes.

Les religieux et les religieuses n'accepteront qu'avec prudence des travaux qui requièrent de vivre en dehors de leur communauté, et les supérieurs ne les leur confieront qu'avec la même prudence.

b) La demande d'aller soigner les parents âgés et malades, qui entraîne souvent de longues absences hors de la communauté, nécessite un discernement consciencieux; des solutions différentes peuvent être trouvées pour éviter des absences trop prolongées du fils ou de la fille.

c) Il faut noter que le religieux qui vit seul sans envoi ou permission du supérieur, se soustrait à l'obligation de la vie commune. Il n'est pas suffisant de participer à quelques réunions ou à quelques fêtes pour être vraiment religieux. On doit agir en vue de la disparition progressive de ces situations injustifiées et inadmissibles pour des religieux et des religieuses.

d) En tout cas, il est utile de rappeler qu'une religieuse ou un religieux, même quand ils habitent hors de leur communauté, sont soumis, en ce qui concerne leur œuvre d'apostolat,[83] au pouvoir de l'Evêque: celui-ci doit être mis au courant de leur présence dans le diocèse.

e) S'il se trouvait malheureusement des instituts dont la majorité des membres ne vivait plus en communauté, ces instituts ne pourraient plus être considérés comme instituts religieux. Les supérieurs et les religieux sont invités à réfléchir sérieusement sur cette triste éventualité et donc sur l'importance de reprendre vigoureusement la pratique de la vie fraternelle menée en communauté.

66. *Dans les terres de mission*

La vie fraternelle en commun a une valeur spéciale dans les terres de mission *ad gentes,* parce qu'elle montre au monde, surtout non chrétien, la nouveauté du christianisme, c'est-à-dire la charité capable de dépasser les divisions créées par la race, la couleur, la tribu. Les communautés religieuses, dans certains pays où on ne peut pas proclamer l'Evangile, restent par leur témoignage silencieux et efficace, le signe presque unique du Christ et de l'Eglise.

Mais, assez souvent, c'est justement dans ces régions qu'on rencontre des difficultés pratiques notables pour construire des communautés religieuses stables et solides, comme les distances, qui demandent une grande mobilité et une présence dispersée, l'appartenance à des races, tribus et cultures différentes, la nécessité de la formation dans des centres intercongrégationnels. Ces motifs et d'autres peuvent gêner l'idéal communautaire.

L'important est que les membres des instituts soient conscients du caractère exceptionnel de ces situations. Qu'ils entretiennent une communication fréquente entre eux, qu'ils favorisent des rencontres communautaires périodiques, et que, dès que possible, ils forment des communautés religieuses fraternelles de forte signification missionnaire, afin que puisse être déployé le signe par excellence: « que tous soient un (...) afin que le monde croie » (*Jn* 17, 21).

[83] Cf. can. 678 § 1.

67. *La réorganisation des œuvres*

Les changements survenus dans les domaines culturel et ecclésial, les facteurs internes de développement des instituts et la variation de leurs ressources, peuvent exiger une réorganisation des œuvres et de la présence des communautés religieuses.

Cette entreprise, qui n'est pas facile, a des répercussions concrètes de type communautaire. Il s'agit en effet généralement d'œuvres dans lesquelles beaucoup de frères et de sœurs ont dépensé le meilleur de leurs énergies apostoliques et auxquelles ils sont liés par des liens spéciaux psychologiques et spirituels.

L'avenir de ces présences, leur signification apostolique et leur restructuration demandent étude, dialogue, discernement. Tout cela peut devenir une école où l'on apprend à rechercher la volonté de Dieu et à la suivre, mais ce peut être en même temps l'occasion de conflits douloureux peu faciles à surmonter.

Pour éclairer les communautés au moment de décisions parfois audacieuses et douloureuses, on ne peut oublier les critères suivants: le devoir de sauvegarder l'expression du charisme propre dans un milieu déterminé, la préoccupation de maintenir vivante une authentique vie fraternelle, et l'attention aux besoins de l'Eglise particulière. Un dialogue confiant et soutenu est donc nécessaire avec l'Eglise particulière, ainsi qu'une liaison efficace avec les organismes de communion des religieux.

Attentive aux besoins de l'Eglise particulière, la communauté religieuse doit se sentir interpellée aussi par ce que le monde néglige, c'est-à-dire par les nouvelles pauvretés et misères sous les formes multiples où celles-ci se présentent, dans les différentes régions du monde.

La réorganisation sera créative et source d'indications prophétiques, si l'on se préoccupe de lancer les signaux de nouvelles présences, même numériquement modestes, prêtes à répondre aux nouveaux besoins, surtout à ceux qui proviennent des lieux les plus abandonnés et les plus oubliés.

68. *Les religieux âgés*

Une des situations que la vie communautaire rencontre le plus fréquemment est l'augmentation progressive de l'âge de ses membres. Le vieillissement a acquis une importance particulière, soit à cause de la diminution des nouvelles vocations, soit du fait des progrès de la médecine.

Pour les communautés, cette situation comporte d'une part la préoccupation d'accueillir et de valoriser en leur sein la présence de ces frères et sœurs âgés et les prestations qu'ils peuvent offrir, d'autre part l'attention à procurer fraternellement, et selon le style de la vie consacrée, les moyens d'assistance matérielle et spirituelle dont les anciens ont besoin.

La présence des personnes âgées dans les communautés peut être très positive. Un religieux ancien qui ne se laisse pas vaincre par les infirmités et les limites de son âge, mais garde la joie, l'amour et l'espérance est un soutien d'une incalculable valeur pour les jeunes. Son témoignage, sa sagesse, sa prière constituent un encouragement permanent dans leur cheminement spirituel et apostolique. D'autre part, un religieux qui se préoccupe de ses propres frères anciens confère une crédibilité évangélique à son institut comme « vraie famille convoquée au nom du Seigneur ».[84]

Il est bon aussi que les personnes consacrées se préparent de loin à vieillir et à demeurer plus longtemps en activité. Elles apprendront à découvrir leur nouvelle façon de construire la communauté et de collaborer à la mission commune, en améliorant leur capacité de répondre positivement aux défis de l'avancée en âge, leur vivacité spirituelle et culturelle, leur prière, et en assurant leur permanence dans le travail aussi longtemps qu'il leur est possible de rendre un service, même limité. Les supérieurs prévoiront des cours et des rencontres pour une préparation personnelle et une valorisation aussi prolongée que possible dans les milieux normaux de travail.

Quand, ensuite, les anciens perdront leur autonomie ou auront besoin de soins particuliers, même si les soins sont donnés par des laïcs, l'institut devra beaucoup se soucier de l'animation, de sorte que les personnes se sentent insérées dans la vie de l'institut, participant à sa mission, engagées dans son dynamisme apostolique, soulagées dans leur solitude, encouragées dans leur souffrance. Car, non seulement elles ne quittent pas la mission, mais elles se trouvent en son cœur même, et y participent avec une efficacité nouvelle. Leur fécondité, même si elle est invisible, n'est pas inférieure à celle des communautés plus actives. Bien plus, ces dernières puisent force et fécondité dans la prière, les souffrances et l'apparente inutilité des anciens. La mission a besoin des deux: les fruits seront rendus manifestes quand le Seigneur viendra dans la gloire avec ses anges.

[84] *PC* 15 a.

69. Les problèmes posés par le nombre croissant des anciens deviennent encore plus importants dans certains monastères qui ont subi l'appauvrissement des vocations. Parce qu'un monastère est normalement une communauté autonome, il lui est difficile de surmonter tout seul ces problèmes. Il importe donc de rappeler l'importance des organismes de communion, par exemple les fédérations, en vue de surmonter les situations d'excessive pénurie de personnes.

Lorsqu'une communauté monastique, en raison du nombre de ses membres, de leur âge ou du manque de vocations, prévoit sa propre extinction, la fidélité à la vie contemplative des moniales requiert l'union avec un autre monastère du même Ordre. De même, dans les cas douloureux de communautés qui ne réussissent pas à vivre conformément à leur propre vocation, fatiguées par des travaux matériels ou par la charge de membres âgés ou malades, il sera nécessaire de chercher des renforts du même Ordre ou de choisir l'union ou la fusion avec un autre monastère.[85]

70. *Un nouveau rapport avec les laïcs*

L'ecclésiologie conciliaire a mis en lumière la complémentarité des différentes vocations dans l'Eglise, appelées à être ensemble les témoins du Seigneur ressuscité en toutes situations et en tout lieu. La rencontre et la collaboration entre religieux, religieuses et fidèles laïcs, apparaît comme un exemple spécial de communion ecclésiale, en même temps qu'elle fortifie les énergies apostoliques pour l'évangélisation du monde.

Un contact adapté entre les valeurs propres à la vocation laïque, comme la perception plus concrète de la vie du monde, de la culture, de la politique, de l'économie, et les valeurs propres de la vie religieuse, comme la radicalité de la suite du Christ, la dimension contemplative et eschatologique de l'existence chrétienne, peut devenir un fécond échange de dons entre les fidèles laïcs et les communautés religieuses.

La collaboration et l'échange des dons deviennent plus intenses quand des groupes de laïcs, au sein de la même famille spirituelle, participent par vocation et à leur manière propre, au charisme et à la mission de l'institut.

On nouera alors des relations fructueuses, basées sur des rapports de mûre corresponsabilité et soutenues par d'opportuns itinéraires de formation à la spiritualité de l'institut.

[85] Cf. *PC* 21 et 22.

Cependant, pour atteindre un tel objectif, il est nécessaire d'avoir des communautés religieuses ayant une claire identité charismatique assimilée et vécue, capables par conséquent de la communiquer aux autres et disponibles au partage; des communautés religieuses vivant une intense spiritualité et un esprit missionnaire enthousiaste, pour transmettre le même esprit et le même élan évangélisateur; des communautés religieuses qui sachent animer et encourager les laïcs à partager le charisme de leur institut selon leur caractère séculier et leur style de vie différent, les invitant à découvrir de nouvelles formes de mise en œuvre de ce charisme et de la mission. Ainsi la communauté religieuse peut devenir un centre d'irradiation, de force spirituelle, d'animation, de fraternité qui crée la fraternité, de communion et collaboration ecclésiale, les apports différents contribuant à la construction du Corps du Christ qui est l'Eglise.

Naturellement cette collaboration étroite doit se développer dans le respect réciproque des vocations et des styles de vie propres aux religieux et aux laïcs.

La communauté religieuse a ses exigences d'animation, d'horaire, de discipline et de réserve,[86] qui rendent impensables certaines formes de collaboration comportant la cohabitation et la vie menée en commun par des religieux et des laïcs; ceux-ci ont d'ailleurs aussi des exigences propres qu'il faut respecter.

Autrement la communauté religieuse perdrait la physionomie qui est la sienne et qu'elle doit conserver en maintenant son propre style de vie commune.

[86] Cf. can. 667, 607 § 3.

CONCLUSION

71. La communauté religieuse, comme expression d'Eglise, est fruit de l'Esprit et participation à la communion trinitaire. D'où le devoir de chacun et de tous les religieux et religieuses de se sentir corresponsables de la vie fraternelle menée en commun, afin de manifester clairement l'appartenance au Christ qui choisit et appelle les frères et les sœurs à vivre ensemble en son nom.

« Toute la fécondité de la vie religieuse dépend de la qualité de la vie fraternelle menée en commun. Plus encore, le renouvellement actuel dans l'Eglise et dans la vie religieuse est caractérisé par une recherche de communion et de communauté ».[87]

Pour certaines personnes consacrées et pour certaines communautés, la reconstruction d'une vie fraternelle menée en commun peut sembler une entreprise ardue et même utopique. Face à certaines blessures du passé et aux difficultés du présent, la tâche peut sembler dépasser les pauvres forces humaines.

Il s'agit de reprendre avec foi la réflexion sur le sens théologal de la vie communautaire, de se convaincre qu'à travers elle passe le témoignage de la consécration.

« La réponse à cette invitation à édifier la communauté avec le Seigneur, avec une patience quotidienne, — dit encore le Saint-Père — passe par le chemin de la croix, suppose de fréquents renoncements à soi-même... ».[88]

Unies à Marie, la Mère de Jésus, nos communautés invoquent l'Esprit, Lui qui a le pouvoir de créer des fraternités rayonnant la joie de l'Evangile, capables d'attirer de nouveaux disciples, suivant l'exemple de la communauté primitive: « ils étaient assidus à l'enseignement des Apôtres, fidèles à la communion fraternelle, à la fraction du pain et à la prière » (*Ac.* 2, 42), « et le nombre des hommes et des femmes qui croyaient dans le Seigneur ne cessait de croître » (*Ac.* 5, 14).

[87] JEAN-PAUL II à la *Plenaria* de la CIVCSVA (le 20.11.1992), n. 3.
[88] *Ibid,* n. 2.

Que Marie tienne unies autour d'elle les communautés religieuses et les soutienne chaque jour dans l'invocation de l'Esprit, lien, ferment et source de toute fraternité.

Le 15 janvier 1994, le Saint-Père a approuvé le présent document de la Congrégation pour les Instituts de Vie Consacrée et les Sociétés de Vie Apostolique et en a autorisé la publication.

Rome, le 2 février 1994, Fête de la Présentation du Seigneur.

EDUARDO Card. MARTÍNEZ SOMALO
Préfet

✠ FRANCISCO JAVIER ERRÁZURIZ OSSA
Secrétaire

TABLE DES MATIÈRES

Chapitre III

LA COMMUNAUTÉ RELIGIEUSE, LIEU ET SUJET DE LA MISSION

Collection

VIE CHRÉTIENNE

1. Gaudium et Spes
2. Lumen Gentium
3. Le culte de la Vierge Marie, *Paul VI*
4. L'évangélisation dans le monde moderne, *Paul VI*
8. Le Rédempteur de l'homme, *Jean-Paul II*
10. Humanæ Vitæ, *Paul VI*
12. La catéchèse en notre temps, *Jean-Paul II*
14. Le mystère et le culte de la Sainte Eucharistie, *Jean-Paul II*
15. La miséricorde divine, *Jean-Paul II*
17. C'est par le travail, *Jean-Paul II*
18. La famille, *Jean-Paul II*
19. Le laïc catholique témoin de la foi dans l'école
21. L'enseignement de l'Église sur la vie religieuse
22. Charte des Droits de la Famille
23. Orientations éducatives sur l'amour humain
24. La souffrance humaine, *Jean-Paul II*
25. Le don de la Rédemption, *Jean-Paul II*
26. Réconciliation et Pénitence, *Jean-Paul II*
27. Lettre à tous les jeunes du monde, *Jean-Paul II*
28. Apôtres des Slaves, *Jean-Paul II*
29. Une seule paix, *Jean-Paul II*
30. Liberté chrétienne et libération
31. Le Curé d'Ars. *Lettre de Jean-Paul II à tous les prêtres*
32. Dominum et Vivificantem, *Jean-Paul II*
33. Le respect de la vie humaine naissante et la dignité de la procréation
34. La Mère du Rédempteur, *Jean-Paul II*
35. La question sociale, *Jean-Paul II*
36. Dignité et vocation de la femme, *Jean-Paul II*
37. Vocation et mission des laïcs, *Jean-Paul II*
38. L'Église face au racisme
39. Saint Joseph, *Jean-Paul II*
40. La méditation chrétienne
41. La mission du Christ Rédempteur, *Jean-Paul II*
42. Centesimus annus, *Jean-Paul II*
43. Pasteurs selon mon cœur, *Jean-Paul II*
44. L'Eucharistie au cœur de l'évangélisation
45. La splendeur de la vérité, *Jean-Paul II*
46. Transplantations d'organes
47. Lettre aux familles, *Jean-Paul II*
48. L'interprétation de la Bible dans l'Église
49. La vie fraternelle en communauté

Achevé de réimprimer
en septembre 1994
sur les presses de
Imprimerie Métrolitho

Imprimé au Canada — Printed in Canada